QUEM APRENDE ENRIQUECE

Aprenda a utilizar o seu poder pessoal para alcançar a liberdade e o sucesso!

NAPOLEON HILL

Título original: *The Path to Personal Power*

Quem aprende enriquece

1ª edição: fevereiro 2020

Autor:
Napoleon Hill

Tradução:
Mayã Guimarães

Revisão:
3GB Consulting

Preparação de texto:
André Fonseca

Projeto gráfico:
Dharana Rivas

DADOS INTERNACIONAIS DE CATALOGAÇÃO NA PUBLICAÇÃO (CIP)

H647q Hill, Napoleon.

Quem aprende enriquece. / Napoleon Hill. – Porto Alegre: CDG, 2019.

ISBN: 978-65-5047-005-0

1. Desenvolvimento pessoal. 2. Motivação. 3. Sucesso pessoal. 4. Autoajuda. I. Título.

CDD - 131.3

Produção editorial e distribuição:

contato@citadeleditora.com.br
www.citadeleditora.com.br

SUMÁRIO

INTRODUÇÃO

O conceito de *lifelong learning* – aprendizado ao longo da vida ou educação continuada – surgiu na década de 1970 e hoje é fato consumado. A educação não pode mais ficar restrita ao período escolar na juventude, tampouco pode ser dada por encerrada com um diploma universitário. O aumento da expectativa de vida, a globalização, a internet, a velocidade dos avanços tecnológicos, tudo na sociedade contemporânea instiga – e exige – a busca constante de conhecimento e aprimoramento.

Atuo há décadas no treinamento de empreendedores, orientando indivíduos que estão no meio da pirâmide do sucesso ou mais acima, com os olhos voltados para o topo e a firme determinação de chegar lá. Ao questionar essas pessoas sobre suas motivações, valores, prioridades, visão de mercado e de vida em geral, a maioria afirma considerar o aprendizado contínuo a habilidade número um para se manterem jovens, atualizadas e, é claro, avançarem na carreira e na conquista de objetivos.

Minha experiência pessoal e a análise de milhares de profissionais dos mais diversos setores proporcionaram um *insight* que agora compartilho com você: não busque a felicidade, busque conhecimento e crescimento. Quem aprende cresce. E quem cresce desfruta do estado de contentamento chamado felicidade.

Estudo e treinamento capacitam o indivíduo a desenvolver aptidões, encarar as adversidades e lidar com todo tipo de circunstância na vida profissional, social e pessoal. Quem estuda e aprende, aprende a transformar crenças limitantes em crenças de apoio.

O relatório "O futuro dos empregos", divulgado pelo Fórum Econômico Mundial de Davos, listou as dez competências profissionais mais importantes para os próximos anos. São elas:

- Resolução de problemas complexos;
- Pensamento crítico;
- Criatividade;
- Liderança e gestão de pessoas;
- Trabalho em equipe;
- Inteligência emocional;
- Julgamento e tomada de decisões;
- Orientação para servir;
- Negociação;
- Flexibilidade cognitiva.

Resolução de problemas complexos, a número um da lista, refere-se à capacidade de "resolver problemas inéditos e mal definidos em contextos complexos do mundo real". Essa competência por certo não vai constar no currículo de quem ficar parado no tempo, achando que já sabe tudo ou o suficiente para dar conta de suas demandas. Vivemos em uma era acelerada, em que novas comodidades e novos desafios surgem o tempo todo. Precisamos aprender – e treinar – novas formas de pensar e agir.

Quem aprende enriquece. Enriquece não apenas no sentido financeiro; enriquece como ser humano. Quem enriquece como ser humano usufrui de saúde física e mental e naturalmente distribui sua riqueza em casa, no ambiente de trabalho, nos relacionamentos em geral.

Este livro de Napoleon Hill foi escrito em 1941. Veja o que ele listou como as dez qualidades do poder pessoal:

- Definição de objetivo;
- Rapidez de decisão;
- Firmeza de caráter;
- Disciplina sobre as emoções;
- Desejo de prestar serviço útil;
- Conhecimento pleno de sua ocupação;
- Tolerância em todos os assuntos;
- Lealdade aos associados e fé em um ser supremo;
- Sede duradoura de conhecimento;
- Imaginação.

Napoleon Hill frisa que essas qualidades podem ser desenvolvidas por qualquer pessoa. E ensina como. Você tem em mãos, portanto, uma ferramenta para adquirir conhecimentos que possam lhe faltar ou para aprimorar sua educação. Lembre-se de duas coisas que Napoleon Hill sempre destacou: poder é conhecimento organizado, e educação não é apenas saber, mas fazer.

Boa leitura e sucesso!

JAMIL ALBUQUERQUE
Presidente do Grupo MasterMind
Treinamentos de Alta Performance

PREFÁCIO

Napoleon Hill fez sua primeira grande entrevista na casa do magnata do aço Andrew Carnegie em 1908, quando era um jovem repórter da *Bob Taylor's Magazine*. Como é sabido por muitos seguidores da vida e obra de Hill, Carnegie convidou o rapaz para passar os vinte anos seguintes conduzindo entrevistas – sem receber remuneração – a fim de escrever o primeiro livro sobre como os grandes homens dos Estados Unidos haviam chegado ao sucesso. Napoleon aceitou o desafio, fez a pesquisa e as entrevistas necessárias e produziu o primeiro grande tratado sobre a ciência da realização pessoal. Publicado em 1928 como *Law of Success*[*], foi seguido em 1937 por uma versão resumida cujo título era *Think and Grow Rich*[**], sem dúvida o livro motivacional mais lido e mais valorizado do século 20 – e depois.

Em 1962, oito anos antes de sua morte, Hill criou uma fundação, que segue promovendo sua filosofia. A Fundação Napoleon Hill licenciou os livros dele em mais de cinquenta idiomas no mundo

---

* Lançado pela Citadel Editora como *O manuscrito original – As leis do triunfo e do sucesso de Napoleon Hill.*

** Lançado pela Citadel Editora no original, em inglês, e também na versão revista e atualizada pela Fundação Napoleon Hill, sob o título *Quem pensa enriquece – O legado.*

inteiro. Trata-se de uma organização beneficente, sem fins lucrativos, que usa suas receitas para conceder bolsas de estudo, ensinar os princípios de Napoleon Hill em instituições correcionais e conduzir pesquisas sobre sua vida e obra. Recentemente, a fundação localizou três livros completos e inéditos de Hill; um deles, *Mais esperto que o diabo*, foi publicado em 2011, sendo aclamado pela crítica.

O livro que você vai ler agora é um excerto de uma série de lições sobre o sucesso que Napoleon Hill escreveu em 1941 a pedido de William Plumer Jacobs, de Clinton, Carolina do Sul, presidente da Faculdade Presbiteriana, dono da Jacob Press e consultor de muitos proprietários de indústrias têxteis. Jacobs havia assistido a uma palestra de Hill um ano antes e ficado impressionado; imaginou que uma série de palestras e um curso de autoajuda de Hill ajudariam a Carolina do Sul e os estados vizinhos a emergir dos efeitos persistentes da Grande Depressão.

Hill, convencido de que muitos norte-americanos ainda estavam abatidos por causa do período difícil dos anos de 1930 e excessivamente dependentes do apoio financeiro do governo, vislumbrou uma oportunidade de ensinar às pessoas como ter sucesso. Aceitou a proposta de Jacobs e se mudou para Clinton a fim de escrever suas lições sobre sucesso. Chamou essas lições de "Dinamite Mental", extraindo o título de uma observação feita por Carnegie quando se conheceram: "O poder com o qual pensamos é dinamite mental". Hill elaborou dezessete lições em formato de livreto, cada uma delas baseada em um dos princípios do sucesso descobertos nas discussões com Carnegie e outros homens bem-sucedidos. Muitas lições incluíam longos trechos das entrevistas com Carnegie e apresentavam exemplos específicos de como os princípios do magnata do aço haviam sido utilizados por outras pessoas de sucesso nos Estados Unidos.

Os livretos "Dinamite Mental" e a série de palestras de Hill foram bem recebidos, mas tudo mudou em 7 de dezembro do ano da publicação, quando o Japão bombardeou Pearl Harbor e os Estados Unidos entraram na Segunda Guerra Mundial. As lições "Dinamite Mental" foram deixadas de lado durante a guerra e praticamente esquecidas depois disso.

Neste livro, a Fundação Napoleon Hill reuniu três lições que enfocam o que muitas pessoas consideram os princípios mais importantes de Hill e Carnegie. Essas lições podem ser usadas por qualquer indivíduo para obter poder pessoal. Mais que isso, elas *devem* ser usadas para a obtenção de poder pessoal. Os princípios são Definição de Objetivo, Princípio MasterMind e Fazer o Esforço Extra. À medida que as lições dos arquivos da Fundação Napoleon Hill forem lidas e, acima de tudo, aplicadas, você começará sua jornada rumo ao poder pessoal.

DON M. GREEN

Diretor executivo da Fundação Napoleon Hill

PENSE!

Creso, um sábio filósofo e conselheiro confidencial de Ciro, rei dos persas, disse:

> Sou lembrado, ó rei, que há uma roda na qual giram os assuntos dos homens, e seu mecanismo é tal que impede qualquer homem de ser sempre afortunado.

Há uma Roda da Vida que controla o destino dos homens. Ela opera por meio da mente humana, pelo poder do pensamento. A filosofia da realização individual apresentada em "Dinamite Mental" foi criada com o propósito de ajudar os homens a dominar e controlar essa grande roda para que lhes renda, em abundância, tudo o que desejam ou de que necessitam e traga felicidade duradoura. Você que está começando o estudo dessa filosofia, lembre que essa roda "impede qualquer homem de ser sempre afortunado" e garante que nenhum homem será "para sempre desafortunado", caso se apodere de sua mente e a use.

– O AUTOR

CAPÍTULO 1

DEFINIÇÃO DE OBJETIVO

Por meio das lições deste livro, você obterá conhecimento útil que custaria uma enorme fortuna para ser adquirido como foi originalmente organizado, a partir da mente de Andrew Carnegie e de mais de quinhentos outros líderes de destaque na indústria e no comércio norte-americano. Entre as pessoas cuja experiência bem-sucedida está publicada aqui incluem-se Henry Ford, Thomas A. Edison, Stuart Austin Wier, Cyrus H. K. Curtis, Edward Bok, Alexander Graham Bell, Elmer R. Gates, John Wanamaker, James J. Hill, Edwin C. Barnes, William Howard Taft, Charles M. Schwab, Theodore Roosevelt, Elbert H. Gary, Charles P. Steinmetz e Woodrow Wilson.

Para todos os efeitos, você pode presumir que está entrando agora em uma sala de aula na qual seus professores serão mais de quinhentos dos homens que fizeram dos Estados Unidos o país "mais rico e mais livre" conhecido pela civilização. Além disso, terá o privilégio de adquirir neste livro o conhecimento que teria exigido mais de dez anos de estudos intensos caso tivesse ido buscá-lo em sua fonte original.

Ao longo deste livro, você vai aprender uma filosofia de sucesso completa e adequada em todos os aspectos às necessidades de quem busca o privilégio da autodeterminação dentro do grande sistema norte-americano do progresso pessoal. Você receberá instruções que não estão disponíveis por preço algum em nenhuma outra fonte, sob nenhuma circunstância.

Essas lições são apresentadas da forma mais adequada para permitir a assimilação do conhecimento transmitido, sem necessidade de esforço de sua parte além do sincero desejo de abrir-se aos segredos da realização conhecidos como a base de quase todos os líderes empresariais bem-sucedidos que esse país produziu. Afastando-se do estilo acadêmico habitual de apresentar conhecimento, o autor manteve em mente o fato de este livro destinar-se a homens e mulheres de todas as esferas da vida, cujas formação educacional, ocupação e responsabilidades familiares tornam necessária a aquisição de conhecimento prático pelo método mais rápido e objetivo à disposição.

O autor também teve em mente que este livro pretende ser uma educação "familiar", por isso deveria ser apresentado em estilo fácil, legível, interessante para jovens que ainda não concluíram o ensino médio ou a faculdade, e também para os adultos da família. Cada princípio da realização individual aqui apresentado foi testado no grande cadinho da experiência prática.

Você pode ler essas lições em poucas horas, mas isso só é possível graças a mais de trinta anos de pesquisa cuidadosa. Além disso, a pesquisa foi feita com empresários que adquiriram experiência na prática, pelo método de tentativa e erro, durante muitos anos.

Leia devagar e digira o que lê à medida que avança. A parte mais importante não está nas lições, mas em sua mente. O principal propósito deste capítulo não é sugerir qual deve ser seu objetivo definido na vida, mas sim chamar sua atenção para a necessidade de escolher um objetivo definido como ponto de partida para a realização individual.

Assinale os parágrafos que mais o impressionarem durante a leitura e volte a eles para uma análise mais detalhada quando o tempo permitir. Formar um grupo de estudo de duas ou mais pessoas para ler e analisar as lições também é uma sugestão proveitosa. Os benefícios desse plano se tornarão mais óbvios depois que você concluir a lição sobre o MasterMind, no próximo capítulo.

Em algum ponto deste livro, você vai encontrar seu "outro eu", que se libertará de todas as correntes de limitação que antes o prendiam e lhe mostrará um verdadeiro gigante de poder adormecido em seu cérebro, que precisa apenas de alguma força externa para despertar. Você encontrará essa força. Ela virá na forma de uma ideia que você terá enquanto lê e pensa.

Para começar, existem dezessete grandes princípios do sucesso, e toda pessoa que realiza seu objetivo principal em qualquer empreendimento deve usar alguma combinação desses princípios. Vou citar o mais importante primeiro. Ele está no topo da lista porque nunca se ouviu falar de alguém que tenha chegado ao sucesso sem aplicá-lo. Você pode chamá-lo de definição de objetivo. Estude qualquer pessoa conhecida como um sucesso permanente e você vai descobrir que ela tem um objetivo principal definido, tem um plano para alcançar esse objetivo e dedica a maior parte de seus pensamentos e esforços a alcançar tal objetivo.

Todo mundo quer as melhores coisas da vida, como dinheiro, uma boa posição, fama e reconhecimento, mas a maioria nunca vai além do estágio do "ter vontade". Homens que sabem exatamente o que querem da vida e estão decididos a conseguir não ficam na vontade. Intensificam seus sonhos em um desejo ardente e respaldam esse desejo com esforço consciente baseado em um plano sólido.

O primeiro passo da pobreza à riqueza é o mais difícil.

Todas as riquezas e todas as coisas materiais que alguém adquire pelo esforço pessoal começam na forma de uma imagem clara e concisa daquilo que se quer. Quando a imagem cresce, ou é levada às proporções de uma obsessão, é absorvida pela mente subconsciente por meio de alguma lei oculta da natureza. Daí em diante a pessoa é puxada, atraída ou guiada na direção do equivalente físico da imagem mental. Voltarei a esse assunto da mente subconsciente muitas vezes antes de terminarmos, já que ela é um dos fatores vitais em relação a todas as realizações de destaque.

Há muito tempo é um mistério, para algumas pessoas, por que homens de pouca escolaridade chegam com frequência ao sucesso, enquanto outros com formação escolar extensiva muitas vezes fracassam. Olhe com cuidado e você vai descobrir que grandes sucessos são o resultado da compreensão e do uso de uma atitude mental positiva com a qual a natureza ajuda os homens a converter objetivos e propósitos em seu equivalente físico e financeiro. Atitude mental é a qualidade que dá poder aos pensamentos e planos.

O tempo necessário para a atitude mental começar a atrair os requisitos físicos e financeiros de seu objetivo principal depende inteiramente da natureza e extensão dos desejos dessa pessoa e do controle que ela exerce sobre a mente, mantendo-a livre de medo, dúvida e limitações autoimpostas. Esse tipo de controle se impõe pela vigilância constante, pela qual se mantém a mente do indivíduo livre de todos os pensamentos negativos e aberta ao influxo e à orientação da inteligência infinita. Definição de objetivo que envolve uma centena de dólares, por exemplo, pode ser traduzida em seu equivalente financeiro em poucos dias, ou mesmo em algumas horas, até em alguns minutos, enquanto o desejo por um milhão de dólares pode requerer um tempo consideravelmente maior, dependendo, de alguma forma, do que se tem para dar em troca desse milhão de dólares.

A melhor maneira de descrever o tempo necessário para a translação de um objetivo definido em seu equivalente físico ou financeiro pode ser estabelecida com precisão pela determinação do tempo exato necessário para prestar o serviço, ou o equivalente em valor que se pretende dar em troca daquele objetivo.

Antes de terminar de descrever os princípios mais importantes da realização, espero conseguir provar a você que existe uma conexão firme entre dar e receber. Falando de maneira geral, riquezas e coisas materiais que os homens conquistam são resultado de alguma forma de serviço útil por eles prestado.

O único jeito conhecido de garantir que um objetivo definido será realizado completamente, por intermédio das forças da lei natural agindo pela mente dos homens, é estabelecer primeiro uma causa para essa realização, pelo serviço útil, prestado em espírito de harmonia.

A mente bem disciplinada é capaz de manter uma atuação tendo em vista um objetivo principal definido sem nenhuma forma de ajuda externa ou artificial. A mente indisciplinada precisa de uma muleta em que se apoiar enquanto lida com um objetivo principal definido. O melhor método a seguir por alguém que tem a mente indisciplinada é escrever uma descrição completa do objetivo principal e depois adotar o hábito de ler essa anotação em voz alta pelo menos uma vez todos os dias. O hábito de escrever os objetivos principais força o indivíduo a ser específico quanto à sua natureza. O hábito da leitura diária fixa na mente a natureza do objetivo, podendo ser absorvida pela mente subconsciente e servir de base para a ação.

A vantagem do dinheiro está no uso que é feito dele, não na mera posse. De maneira geral, o homem que ganha seu dinheiro adquire, junto com ele, alguma sabedoria necessária quanto ao seu uso construtivo.

Se você quer uma ilustração prática desse raciocínio, olhe para o que acontece com o filho criado por pais ricos e levado a crer desde cedo que o esforço para o acúmulo de riquezas é desnecessário. Nunca conheci um único caso de alguém criado dessa maneira que tenha sequer se aproximado do conhecimento profissional e das realizações de seu pai. A verdadeira alegria de ter dinheiro vem de conquistá-lo e merecê-lo, não de recebê-lo como um presente.

Há mais oportunidades nos Estados Unidos para construir fortunas em troca de serviço útil do que em todos os outros países juntos. Esse é um novo país. Nossos recursos mal foram acessados.

Todos os dias trazem novos empreendimentos para abrir centenas de novas estradas de oportunidade; hoje é o automóvel e o avião, indústrias ainda na infância. Seu desenvolvimento abre campos para milhares de jovens com imaginação, habilidade e iniciativa.

Nossa única falta de oportunidades reside na carência de imaginação, autossuficiência e iniciativa que serão necessárias para comandar o futuro desse país. O mundo todo se volta para a América em busca de novas ideias, novas invenções, novas oportunidades para habilidade e imaginação. Olhe em volta e verá que esta não é mais do que a era do desabrochar de estupendas oportunidades por todos os lados.

Na área de seguro de vida haverá grandes oportunidades para homens e mulheres prestarem serviço útil e se tornarem financeiramente independentes. A instituição do seguro de vida se torna rapidamente o maior meio para o desenvolvimento do hábito em nosso povo de economizar milhões. O corretor de seguro de vida do futuro se tornará um professor, além de vendedor; ele vai ensinar às pessoas como administrar seu tempo e seus gastos pelo investimento sistemático em seguros. Fique atento a essa área, porque ela representa um dos maiores pilares do nosso grande sistema econômico americano. Vai gerar emprego lucrativo a centenas de milhares de homens e mulheres cujos serviços ao povo não serão menos úteis que aqueles dos clérigos ou professores. Vender seguro de vida vai se tornar uma das profissões mais reconhecidas, que terá rendimentos iguais ou superiores aos da maioria das profissões aprendidas. Vender seguro de vida será reduzido a uma ciência, e com o tempo passará a ser ensinado nas faculdades.

As realizações de um homem correspondem, com certeza inabalável, à filosofia com que ele se relaciona com os outros. Se você põe em prática a disponibilidade de dar alguma coisa pelo conhecimento que deseja, certamente se torna tão útil ao mundo que ele será compelido a oferecer recompensas de acordo com suas escolhas. Esse é o espírito do verdadeiro americanismo.

Toda pessoa que busca sucesso pessoal nos Estados Unidos deve entender e respeitar os fundamentos do americanismo. Os que negligenciam ou se recusam a apoiar com lealdade as instituições do americanismo podem, de maneira inconsciente, contribuir para a queda desses pilares de sustentação, eliminando, assim, a própria base de nossas oportunidades de realização pessoal. É óbvio que nenhum indivíduo pode ter sucesso permanente se não está sintonizado com as forças que deram a ele sua oportunidade de sucesso.

Os seis pilares do americanismo

Você pode descrever melhor o americanismo analisando os seis principais pilares que distinguem esse país de todos os outros, a saber:

- Nossa forma americana de governo, como foi originalmente escrita na Constituição dos Estados Unidos, proporciona a maior medida possível de direito à liberdade individual, de pensamento, de expressão, de credo e, acima de tudo, liberdade de iniciativa individual, que dá a todos os cidadãos o privilégio de escolher a própria ocupação e estabelecer o próprio preço de acordo com seu conhecimento, sua habilidade e experiência. Nenhum outro país no mundo oferece a seus cidadãos uma escolha tão abundante de oportunidades para a comercialização de seus serviços quanto a que é fornecida por nossa forma de governo.

- Nosso sistema industrial, com seus inigualáveis recursos naturais de liderança e matérias-primas, coordenado, como é, com nosso espírito americano de democracia, e apoiado por nossa forma americana de governo, que é protegido de todas as maneiras possíveis da concorrência de outros países. Desde que haja harmonia, compreensão e cooperação solidária entre líderes da indústria e agentes do nosso governo, cada cidadão se beneficiará, direta ou indiretamente, de nosso sistema industrial em expansão. Se algum dia chegar o tempo em que os líderes do governo e os líderes da indústria negligenciarem ou se recusarem a trabalhar em harmonia por um bem comum, o peso de sua falta de visão recairá sobre a vida econômica de cada cidadão. Essa se torna, definitivamente, uma nação industrial. A indústria não só fornece uma importante fatia dos rendimentos dos assalariados, como também absorve grande porção dos produtos agrícolas, e é a maior fonte de sustento para advogados, médicos, dentistas, engenheiros, educadores, igrejas e outras categorias envolvidas com o trabalho profissional. Não há como separar "americanismo" de indústria sem destruir um dos mais fortes e importantes dos seis pilares.

- Nosso sistema bancário, que proporciona a seiva da vida que mantém nosso sistema industrial, agricultura, comércio e sistemas profissionais ativos e flexíveis a um custo que não sobrecarrega ninguém. Entenda a natureza do serviço prestado por nosso sistema bancário e coloque um ponto final nos poucos ignorantes que gritam contra os pecados imaginários de "Wall Street". Toda pessoa bem informada sabe que neste país temos um sistema-gêmeo de governo, com uma divisão política operando em Washington e uma divisão financeira operando em Nova York. Quando esses dois ramos de nossa forma de vida nacional operam em harmonia, temos tempos prósperos. Mais ainda, temos os recursos de economia financeira e política para competir com sucesso com qualquer outro país no mundo. Quando esses dois ramos de nossa vida nacional se tornam antagônicos, como aconteceu vez ou outra no passado, somos amaldiçoados com "pânicos" e outras doenças que prejudicam todos os cidadãos. As casas bancárias são tão essenciais para a operação bem-sucedida de nosso sistema de vida quanto as lojas e os escritórios. Na verdade, nenhuma forma de comércio ou negócio poderia ser concretizada de maneira bem-sucedida sem o acesso a um fornecimento imediato de dinheiro ou crédito, que é o que os bancos oferecem.

- Nosso sistema de seguro de vida, que serve como a maior instituição nacional de economias individuais do povo e fornece ao nosso sistema econômico uma flexibilidade que não estaria disponível apenas pelo sistema bancário. Nenhuma outra instituição americana fornece à população uma fonte de economias que dá proteção individual para a família e, ao mesmo tempo, deixa sua mente livre da preocupação relacionada ao envelhecimento e suas incertezas financeiras. A instituição do seguro de vida, que é definitivamente uma parte dos fundamentos da América, fornece um sistema que torna desnecessário a qualquer pessoa fisicamente saudável humilhar-se na velhice aceitando caridade.

- Nosso espírito nacional de amor pela liberdade e nossa demanda pelo privilégio da autodeterminação, como expressado pelos pioneiros da indústria e do governo, e o amor nacional pela liberdade de expressão, pensamento e ação, que são as características distintivas dos grandes líderes criados pela América no passado.
- Nosso senso nacional de justiça, que nos incentiva a lutar pela proteção dos fracos, bem como dos fortes, e nunca tolerou anexação territorial pela conquista sem a adequada compensação.

Sobre essas seis bases você encontrará tudo de maior importância que distingue este país de todos os outros. Qualquer coisa que enfraqueça qualquer um dos seis pilares de americanismo mina de forma correspondente toda a nossa vida nacional. Não é suficiente um indivíduo evitar fazer ou dizer alguma coisa que enfraqueça esses pilares; mas é dever de todo americano leal defender esses fundamentos contra todos que pretendem enfraquecer ou destruir qualquer parte deles.

Nós, americanos, devemos pensar e falar menos em nossos direitos e mais em nossos deveres e privilégios como indivíduos ao proteger a fundação sobre a qual nossos direitos e privilégios se baseiam. É dever de todo cidadão fazer da defesa desses pilares fundamentais de americanismo uma parte definitiva de seu principal objetivo de vida.

Existe uma tendência crescente neste país de homens com propensão ao pensamento radical encontrarem defeitos em nossa forma de governo, nosso sistema industrial, nosso sistema bancário e tudo mais que representa os pilares básicos de nosso americanismo. Análise cuidadosa desses homens revelará a verdade, a de que sofrem de alguma forma de complexo de inferioridade que se expressa no desejo de desacreditar todos que alcançam o sucesso e que são aceitos como líderes no comércio e na indústria.

Alguns desses radicais são homens de grande brilhantismo mental sobre muitos assuntos, exceto os da filosofia econômica e social. Alguns são estrangeiros de nascimento, outros são americanos. Você os encontra na política, em algumas igrejas, em muitas escolas e faculdades públicas, nos sindicatos e em quase todas as outras vocações. Seus esforços para destruir nossa nação, seja com base em sincera ignorância, seja por motivos sinistros, devem ser enfrentados golpe a golpe. Não devemos permitir que eles destruam a maior nação do mundo só porque pregamos e praticamos o direito à liberdade de expressão neste país. O direito à livre expressão não significa a liberdade de difamar homens respeitáveis simplesmente por serem bem-sucedidos! Desde o começo da civilização, a riqueza tem ido parar nas mãos de homens de pensamento preciso; homens com definição de objetivo; homens com imaginação aguçada e iniciativa para traduzir imaginação em serviço útil. Nenhum discurso radical pode mudar isso, e é justamente essa verdade que me levou a acreditar que o melhor método de distribuição de riqueza é o da distribuição dos princípios de realização pelos quais a riqueza é conquistada.

Ao falar dos grandes recursos deste país, deve-se manter sempre em mente que o maior deles não é o dinheiro nos bancos, nem os minerais no solo, nem as árvores na floresta, nem a riqueza do nosso chão; são a atitude mental, a imaginação e o espírito pioneiro dos homens que misturaram experiência e educação com essas matérias-primas, transformando-as, portanto, em vários tipos de serviço útil para nosso povo e para os povos de outras nações.

A verdadeira riqueza desta nação não é nenhuma coisa tangível, material. Nossa verdadeira riqueza consiste no poder intangível do pensamento, como é expresso por nossos líderes que entendem e aplicam a filosofia da realização pessoal. Ela se reflete em visões mais amplas, horizontes mais largos, maiores ambição e iniciativa. Quem deixar de ver essa verdade não conseguirá entender por que nosso país é o "mais rico e mais livre" do mundo.

O princípio de definição de objetivo é, obviamente, uma necessidade para todos que alcançam o sucesso, já que ninguém pode ser bem-sucedido sem antes saber precisamente o que quer. É interessante saber que cerca de 98 de cada cem pessoas vivem sem um objetivo principal, e é significativo que mais ou menos a mesma porcentagem do povo seja vista como fracassada.

O princípio de definição de objetivo, para que tenha valor duradouro, deve ser adotado e aplicado como um hábito diário. A ausência desse hábito leva a outro que é fatal para o sucesso, o hábito de viver à deriva. Descobrimos que vendedores vendem mais mercadorias quando têm cotas definidas de vendas do que quando trabalham sem cotas.

Uma boa definição de sucesso é "*O poder com o qual se adquire tudo que se quer na vida, sem violar os direitos dos outros*". Quem não tem definição de objetivo só pode se valer do poder de ter aquilo que ninguém mais quer. Você vai notar que homens poderosos são aqueles que chegam a decisões rapidamente e as mudam lentamente, se é que mudam. Decisão é a irmã gêmea de definição. Estas são duas palavras a conjurar: definição e decisão. Elas representam uma atitude mental positiva sem a qual nenhum sucesso digno de nota pode ser conquistado em nenhuma vocação. Essas qualidades são uma parte importante da atitude mental dos grandes líderes.

Se você for analisar minha definição de sucesso, vai ver que não há nela nenhum elemento de sorte. Um homem pode encontrar oportunidades por mero acaso ou sorte, e às vezes acontece, mas essas oportunidades têm um jeito esquisito de desaparecer na primeira vez que a oposição os supera. Você comprova essa teoria estudando herdeiros que entraram de posse de dinheiro que não ganharam, e aqueles que foram alçados a posições elevadas pelo que é comumente chamado de "empurrãozinho". Um homem pode encontrar uma oportunidade por herança ou empurrão, mas só consegue se manter de posse dela pela pressão, e isso se chama definição de objetivo. A pessoa que tenta passar pela vida se valendo de "empurrõezinhos" e sorte acaba encontrando o velho Destino na esquina com um taco na mão, e o taco é pesado. Quando o golpe acerta sua cabeça, ela não consegue escapar.

Poder pessoal é adquirido por meio de uma combinação de características e hábitos individuais. Rapidamente, as dez qualidades de poder pessoal (que eu chamo de regra de dez pontos do poder pessoal) são:

a. O hábito da definição de objetivo

b. Rapidez de decisão

c. Firmeza de caráter (honestidade intencional)

d. Disciplina severa sobre as emoções

e. Desejo obsessivo de prestar serviço útil

f. Conhecimento pleno de sua ocupação

g. Tolerância em todos os assuntos

h. Lealdade aos associados pessoais e fé em um ser supremo

i. Sede duradoura de conhecimento

j. Agudez de imaginação

Você vai notar que essa regra de dez pontos abrange apenas as características que qualquer um pode desenvolver. Você também vai observar que essas características levam ao desenvolvimento de uma forma de poder pessoal que pode ser usado sem "violar as regras dos outros". Essa é a única forma de poder pessoal que alguém pode manter.

O velho ditado "conhecimento é poder" não é totalmente verdadeiro. Conhecimento nunca é poder até ser expresso em alguma forma de serviço útil. O espaço que um homem ocupa na vida corresponde com exatidão à qualidade e à quantidade do serviço que ele presta, mais a atitude mental com que presta o serviço. Homens que bradam grande poder pessoal, se permanecem poderosos, precisam entender e aplicar a fórmula Q + Q + C. Isto é, a qualidade do serviço prestado deve ser a ideal, a quantidade deve ser a correta, e sua conduta deve ser agradável. Você pode estabelecer essa verdade de outra maneira, a saber: qualidade de serviço, mais quantidade de serviço, mais conduta é igual ao grau de sucesso que o indivíduo conquista.

Observe que a fórmula QQC representa apenas qualidades passíveis de desenvolvimento. A fórmula nada tem a ver com sorte, a menos que se possa dizer que aqueles que a aplicam parecem ter a sorte a seu lado na maioria de suas experiências. O sujeito que vive reclamando de não ter as "brechas", ou de ter a sorte contra ele, está só usando essa desculpa para justificar preguiça, indiferença ou falta de ambição. O sujeito que quer alguma coisa em troca de nada será rápido para reclamar de "má sorte" quando o fracasso o atingir. O homem bem-sucedido fala pouco ou nada sobre sorte porque tem uma filosofia mais sólida em que se apoiar. Ele cria ou influencia em grande medida suas "brechas".

John Wanamaker serviu ao povo por intermédio de uma das maiores lojas varejistas da América. Quando perguntaram, ele respondeu rapidamente que seu sucesso como comerciante era consequência de princípios definidos de realização, não de sorte.

James J. Hill construiu o sistema da Great Northern Railroad com definição de objetivo, e fez da ferrovia um grande sucesso. Sua ascensão da posição de operador de telégrafo à de diretor de um grande sistema de ferrovias foi sistematicamente planejada. Em nenhum momento ele contou com a sorte para a obtenção de poder pessoal.

Thomas A. Edison deu ao mundo a lâmpada elétrica incandescente, a máquina de falar, a imagem em movimento e uma grande variedade de outros aparatos úteis à humanidade; mas nenhuma parte desse sucesso foi resultado da sorte. O simples fato de Edison ter enfrentado mais de dez mil fracassos antes de encontrar um método de controle da eletricidade e torná-la útil para acender uma lâmpada comprova que ele não confiava na sorte. Meça esses homens, e todos os outros do mesmo tipo, pela regra de dez pontos (já descrita) para o desenvolvimento de poder pessoal, e você chegará à conclusão de que eles tiveram sucesso porque desenvolveram e usaram essas dez qualidades. Sucesso é resultado do poder da mente adequadamente organizado, controlado e dirigido com definição de objetivo.

Quero alertar, porém, contra a conclusão automática de que DEFINIÇÃO DE OBJETIVO é, por si só, suficiente para alcançar o sucesso. Há dezesseis outros princípios importantes de realização individual, com os quais, alguns ou todos, a definição de objetivo pode ser combinada. A escolha de objetivo principal definido é só o ponto de partida para o sucesso. O poder pessoal com que se traduz definição de objetivo em seu equivalente físico ou financeiro vem da compreensão e do uso de outros princípios de realização.

Outra característica importante relacionada ao poder pessoal é a necessidade de entender a diferença entre poder que é obtido com total consentimento e aprovação de todos que são afetados por ele, e poder que é imposto aos outros sem seu consentimento. A falta de compreensão dessa diferença levou ao fracasso muitos que, de outra forma, teriam tido grande sucesso. Estude com cuidado a regra dos dez pontos e se convencerá de que ela leva apenas à forma de poder que é obtida com o consentimento e a cooperação de outras pessoas.

Na cidade de Detroit há um homem chamado Henry Ford, cuja filosofia de relacionamento humano promete elevá-lo a uma posição de liderança no mundo industrial. Quero que você vá a Detroit e conheça Ford, pois se aproxima o momento em que ele certamente dominará a indústria automobilística. Estude esse homem com cuidado, avalie sua filosofia com precisão e observe como ele obtém poder pessoal aplicando a regra de dez pontos. DEFINIÇÃO DE OBJETIVO é sua obsessão. Ele sabe o suficiente para colocar todos os ovos em uma única cesta e depois proteger a cesta com cuidado por meio da definição de objetivo.

Colocando de forma simples, seu objetivo tem sido produzir um automóvel confiável e barato. Sua mente é de "foco único", mas o levou exatamente aonde ele queria ir. Sua filosofia rendeu a ele grande riqueza e uma nação de amigos e clientes. E vai, talvez, permitir que ele ocupe mais espaço no mundo do que qualquer outro industrial em qualquer tempo.

Veja o que F. W. Woolworth realizou por meio de sua compreensão da regra dos dez pontos para o desenvolvimento de poder pessoal. Sua filosofia era a mesma que a de Henry Ford. Ele construiu um dos edifícios mais altos da América; o construiu com centavos que outras pessoas gastavam sem cuidado. Ele também tinha uma mente de "foco único". Pegou uma ideia simples, única, de comércio e a fez render uma grande fortuna. O mais estranho em seu sucesso é a simplicidade da política comercial. Ele não tinha políticas de patente em seu plano de comércio, mas teve poucos imitadores, e é por esse motivo que ele segue com definição de objetivo, enquanto a maioria dos outros comerciantes não tem esse objetivo. Eles têm uma política diferente para cada produto que vendem. Woolworth só tem uma política para a venda de toda a sua mercadoria. Estude esse homem e todos os outros cujos esforços se baseiam em definição de objetivo, e você estará curado para sempre da ideia de que sucesso e sorte têm alguma coisa em comum.

Essas dez qualidades de poder pessoal podem se tornar hábitos. A aplicação ocasional das qualidades será de pouco valor. O homem que só as aplica quando servem a seu objetivo imediato, mas as ignora quando parecem não render lucro, nunca terá poder duradouro. As qualidades de poder pessoal devem se tornar uma parte tão definitiva da personalidade de um homem que assumam uma natureza espiritual. Isso não se pode conseguir em um dia, ou uma semana, ou talvez um ano. Será útil se um indivíduo fizer uma lista dessas dez qualidades e classificar-se cuidadosamente em cada uma delas uma vez por dia. Por esse procedimento, elas serão absorvidas pelo subconsciente e se tornarão parte de seu caráter. Mas não se deve parar apenas na classificação diária; é preciso pôr em prática essas qualidades em todos os relacionamentos com outras pessoas. Um grama de prática vale um milhão de toneladas de teoria.

Depois que o indivíduo funde as dez qualidades à própria personalidade pelo hábito, ele deve assumir a responsabilidade de induzir seus associados a se apropriarem delas e usá-las valendo-se de todos os meios práticos a ele disponíveis; em especial os associados mais próximos, como membros da família, amigos pessoais e pessoas com quem ele trabalha. Já foi dito que "A melhor maneira de obter as virtudes do caráter sólido é ajudando outras pessoas, por meio do exemplo, a obtê-las".

De maneira geral, homens bem-sucedidos do passado obtiveram conhecimento dos princípios da conquista do sucesso pelo método de tentativa e erro. Mas esse método é demorado e caro. Por isso tantos fracassaram, embora suas metas e seus objetivos fossem dignos. Boas intenções e decisões não são suficientes para a conquista do sucesso permanente. É preciso conhecer as regras pelas quais o poder pessoal pode ser obtido, uma forma de conhecimento que está disponível apenas àqueles que entendem e aplicam todos os princípios da realização.

Aqui estamos preocupados apenas com aquela forma de sucesso que é obtida pelo planejamento deliberado e que se torna permanente. O homem que alcança o sucesso pela aplicação dos princípios do sucesso pode, por algum erro de julgamento, ou por algum motivo sobre o qual não tem controle, perder temporariamente os frutos de seu sucesso; mas ele saberá como recuperar as perdas. Entenderá como construir um novo sucesso a partir de uma antiga derrota. Mais ainda, o homem que domina os princípios do sucesso aprende rapidamente como transformar pedras que causam tropeços em degraus; ele aprende como extrair conhecimento útil da derrota temporária e, acima de tudo, aprende a diferença entre derrota temporária e fracasso. Se enfrenta uma derrota temporária, ele promove uma volta rápida e lucra com a experiência. Suplanta o espírito de derrotismo com o espírito da fé. Sabe como remover as limitações autoimpostas que impedem o progresso de muitos homens, porque percebe que muitas limitações não são mais que estados mentais.

Para aquele que domina os princípios da realização, a experiência da derrota temporária não é mais que um sinal para reconstruir seus planos e elevar a determinação de vencer. Em resumo, esses princípios fornecem ao indivíduo uma filosofia que não reconhece o fracasso. A compreensão precisa da filosofia da realização dá ao indivíduo a consciência do sucesso; converte sua mente em um poderoso ímã que atrai um equivalente exato de sua atitude mental, como é refletida em seus planos, metas e objetivos.

Quem domina essa filosofia encontra uma abundância de oportunidades colocada em seu caminho como que por um toque de mágica. Descobre que pessoas se esforçam para cooperar com ele, e sem que haja aparente esforço ou solicitação de sua parte. Pode-se dizer que o indivíduo primeiro domina a filosofia da realização; depois supera tudo que aparece em seu caminho; e tudo isso acontece por uma estranha mistura de química mental que a ciência não consegue entender, nem se dispõe a explicar a origem de seu poder.

Não é provável que alguém que entenda os princípios da realização algum dia se torne um "desistente", porque todos que entendem a filosofia sabem que ela fornece poder suficiente para atender a qualquer emergência humana comum! Põe pernas firmes sob a religião de um homem, independentemente de quais sejam suas crenças religiosas. Dá ao vendedor mais capacidade, independentemente do produto que ele venda. Faz de alguém um americano mais leal, porque a filosofia é, literalmente, a própria fundação sobre a qual esta nação se desenvolveu. Dominar os princípios trará ao indivíduo riquezas em termos de amizades duradouras, paz de espírito, harmonia em relacionamentos familiares, segurança financeira e aquele estado mental conhecido como felicidade. A filosofia é completa no sentido de ajudar todos que a dominam a abrir caminho pela vida com um mínimo de resistência e oposição de seus semelhantes. Quando você entender essa ideia, vai saber que ela aproxima o indivíduo de compreender a inteligência infinita pela qual reconhece seu relacionamento com ele mesmo, com os outros e com seu Criador.

Qualquer ideia dominante, plano, pensamento ou objetivo mantido em mente por um forte desejo de sua realização é absorvido pela mente subconsciente e traduzido em seu equivalente físico ou financeiro por quaisquer meios práticos disponíveis. Vamos aqui ressaltar o fato de que qualquer propósito, plano ou objetivo amparado pela fé em sua realização e dotado de emoção por um forte desejo por sua realização adquire precedência nas operações mágicas da mente subconsciente e é posto em prática mais depressa que qualquer plano ou objetivo respaldado apenas por razão fria e sua força motivadora. A mente que é dominada por pensamentos que abrigam continuamente medo e pobreza leva a infelicidade e fracasso, tão certamente quanto pensamentos que abrigam fé e opulência levam ao sucesso.

É altamente importante que você entenda a verdade de que sua "atitude mental" é uma passagem de mão dupla para o interior de sua mente, que a atitude mental de fé leva ao reservatório de poder que automaticamente traduz seus desejos, planos e objetivos em seu exato equivalente físico, e que as atitudes mentais de medo e dúvida levam a um reservatório igualmente definido de poder que converte seus desejos, planos e objetivos em nada.

Com conhecimento definido do que estou dizendo, posso afirmar que é assim que a mente funciona. Ninguém jamais conseguiu dizer como ou por que a mente funciona dessa maneira. Não é mera força de expressão, nem é exagero, dizer que "qualquer coisa em que o homem acredite ele pode fazer". É um fato bastante conhecido que as únicas limitações do homem são aquelas que ele cria na própria mente. Se isso não fosse verdade, como poderíamos explicar as realizações de um homem como Thomas A. Edison, que, com apenas três meses de escolaridade formal, controlava e fazia uso prático das forças da mente de tal forma que se tornou o inventor mais renomado do mundo? Se isso não fosse verdade, como explicaríamos as realizações de Henry Ford, que, começando do zero, com pouco da formação conhecida como educação de escola primária, ocupou a Terra com os produtos físicos de sua mente e acumulou uma imensa fortuna em troca de seu serviço?

A análise cuidadosa das realizações de homens como Ford e Edison é suficiente para convencer qualquer ser pensante que homens que se movem com definição de objetivo, respaldados pela fé em sua capacidade de alcançar seu objetivo, projetam os poderes de sua mente no reservatório da inteligência infinita, onde se pode encontrar a resposta para todos os problemas humanos, a realização de todos os desejos humanos.

Não é o propósito deste livro conduzir o leitor em um estudo complexo ou abstrato de todos os princípios funcionais da mente, ou apresentar um discurso complexo ou abstrato de psicologia, mas é seu propósito mostrar, por meio de evidência convincente, que, em países como o nosso, com sua enorme abundância de tudo de que o povo pode precisar ou querer, não há razão legítima para ninguém permanecer carente. A aquisição de bens materiais de que precisamos e queremos começa, sempre, em uma ideia clara do que desejamos mais um desejo ardente por sua realização. Em um país como o nosso, a única coisa que falta às pessoas é fé suficiente para se apoderar da própria mente e fazer uso pleno dela. Essa afirmação foi comprovada muitas vezes para que se duvide de sua solidez: a "atitude mental", não o mero conhecimento ou educação, é a verdadeira origem de todas as realizações.

Tenho dito que a mente subconsciente aceita e realiza os pensamentos dominantes da mente que foram misturados a emoção, seja ela positiva, seja negativa; que ela traduz pensamentos de limitação, medo e dúvida em fracasso certo, tão certamente quanto traduz pensamentos de fé em sucesso. Vamos ver algumas experiências muito conhecidas que provam a validade dessa afirmação.

Vejamos, por exemplo, as experiências de 1929, princípio da mais extensa e devastadora depressão que este país já conheceu. Quando milhões de pessoas no país todo começaram a especular no mercado de ações, e esse comércio frenético provocou um *crash* no mercado que acarretou a perda de todo o dinheiro dos investidores, as mentes altamente carregadas de emoção começaram a divulgar pensamentos de medo, e essas vibrações se estenderam em todas as direções até alcançarem a mente de outros milhões de pessoas que não estavam apostando, resultando, por fim, em um estado de medo coletivo que paralisou todo o sistema bancário, provocou corridas aos bancos, paralisou maquinário na indústria e encerrou atividades comerciais normais em uma escala nunca vista antes.

Lá estávamos, pulando, da noite para o dia, da opulência e fartura ao pânico e pobreza, apesar de haver exatamente a mesma quantidade de todas as formas de riqueza no país durante a onda de pânico e antes de seu começo. Os assuntos das pessoas no mundo mudam com a mudança de sua "atitude mental", de maneira tão definida e regular quanto o subir e descer das marés do oceano. Dessa verdade saiu o velho ditado que diz "Sucesso atrai sucesso, e fracasso atrai fracasso".

Análise precisa de mais de 25 mil homens e mulheres classificados como "fracassos" estabeleceu evidência positiva dos princípios funcionais da mente pelos quais esses desafortunados provocaram o próprio infortúnio. Relacionadas sem nenhuma tentativa de sua classificação em relação a seus efeitos relativos, seguem algumas das principais causas:

» O hábito difundido de aceitar a limitação da pobreza, como é refletido pela disponibilidade de se contentar com as três necessidades básicas da vida: comida, abrigo e vestuário. Não estou aqui analisando as causas da falta de ambição que leva a pessoa a não pretender mais que as necessidades da vida; estou apenas analisando um fato bastante conhecido para mostrar que, apesar das vastas riquezas de nosso grande país, uma maioria não tem objetivo definido além de buscar a mera sobrevivência.

» Deixar de reconhecer o que todo psicólogo sabe: nem questões externas nem circunstâncias têm influência sobre a "atitude mental" de alguém, exceto para aqueles que, pela recusa em se apoderar da própria mente e usá-la, impõem a ela limitações. Já foi provado, vezes demais para enumerar, que qualquer mente normal pode romper essas limitações da pobreza a qualquer momento em que o indivíduo se apoderar de sua mente e decidir usá-la para a aquisição de riquezas. Andrew Carnegie provou que sua mente tinha o poder de remover autolimitações quando ele decidiu abandonar o emprego comum e começar o trabalho mais lucrativo de organizar e comandar uma grande indústria do aço. Thomas A. Edison fez uma demonstração semelhante dos poderes de sua mente quando decidiu deixar o emprego comum de operador de telégrafo e se tornar o maior inventor do mundo. Por mais estranho que possa parecer, o próprio poder mental com que ele fez a mudança da vida comum para a de inventor bem-sucedido tornou-se o poder com o qual ele penetrou os segredos da inteligência infinita e descobriu os segredos da natureza.

» Deixar de reconhecer a importante diferença entre querer uma coisa e estar decidido a tê-la. Todo mundo quer as melhores coisas da vida, e muitos cometem o erro fatal de acreditar que um desejo é a mesma coisa que objetivo definido, amparado por um desejo ardente por sua realização. A diferença é exatamente a que existe entre sucesso e fracasso.

» O hábito de permitir que a mente seja limitada por alguma forma de medo e uma inferioridade aceita. Muitas pessoas que nasceram em um ambiente de pobreza, e aquelas que foram postas temporariamente em associação com pessoas que aceitaram a pobreza como seu destino, ergueram insuperáveis barreiras mentais com essa fobia. Todos os anos, milhões de pessoas nascem na pobreza e nunca aprendem que podem se tornar financeiramente independentes. Desde a tenra infância até a morte, elas usam seu poder mental em marcha a ré, condenando-se à pobreza tão certamente quanto se pedissem a infelicidade em suas preces.

» Deixar de desenvolver o hábito da iniciativa, uma falha que normalmente pode ser rastreada até seu protótipo, a crença na inferioridade individual. Obviamente, aqueles que sofrem de falta de iniciativa nunca se apoderarão da própria mente ou de qualquer outra coisa.

» Falta de visão: o hábito de colocar, voluntariamente ou por negligência, limitações ao uso de seu poder mental por deixar de aspirar a qualquer posição na vida que esteja acima da mediocridade. As realizações do homem terminam onde começam suas próprias limitações do poder da mente, quaisquer que sejam os motivos dessas limitações. Os que querem pouco normalmente alcançam exatamente aquilo que buscam.

» Falta de atenção à importância do desenvolvimento de uma personalidade atraente pelo aprendizado de características, hábitos e habilidades que servem aos outros com altruísmo. Deixar de esquecer o eu. Aqueles que se amam terão poucos rivais.

» Desenvolvimento do hábito da procrastinação, que leva ao hábito de vagar perpetuamente pela vida e adotar a linha da resistência mínima. Letargia e oportunismo nunca construíram um império.

» Falta de fé e de uma compreensão adequada do princípio da oração, pelo qual a mente subconsciente transfere à inteligência infinita uma imagem definida da atitude mental do indivíduo.

Aí está uma descrição rápida, mas precisa, das principais fontes pelas quais os homens se condenam à miséria, pobreza e fracasso. Como ponto de partida para o sucesso, faça um inventário de si mesmo determinando quantas dessas causas de fracasso abriga em sua mente.

Ideias são o único bem que não tem valor fixo. São o começo de todas as realizações; elas formam a fundação de todas as fortunas; são o ponto de partida de todas as invenções; ideias ocuparam o ar sobre nós, e nos capacitaram a canalizar e usar a energia conhecida como éter, pela qual qualquer cérebro pode se comunicar com qualquer outro cérebro.

Ideias começam como resultado da definição de objetivo. A máquina de falar não era mais que uma ideia abstrata até Edison a submeter à porção subconsciente de seu cérebro, onde ela foi projetada no grande reservatório de inteligência infinita e devolvida à sua mente na forma de um plano definido para seu aperfeiçoamento mecânico.

A Liga Anti-Saloon não era mais que uma ideia muito vaga que só existia na cabeça das duas pessoas que deram vida a ela, no vilarejo de Westerville, em Ohio, há mais de quarenta anos; mas houve um tempo em que essa ideia, amparada pela definição de objetivo, dizimou os *saloons*. Não estou aqui tentando apresentar os méritos da ideia. Estou apenas chamando atenção para a força das ideias quando são amparadas de maneira persistente pela mente humana.

Al Capone deu à luz uma ideia, como resultado direto das condições sociais diferentes promovidas pelo trabalho da Liga Anti-Saloon, e apesar da natureza reprovável de sua ideia, ele a respaldou com definição de objetivo e, assim, deu a ela tal impulso que todas as forças das agências legais do poderoso governo nos Estados Unidos foram requisitadas para interromper o prejuízo que sua ideia causava. Fica então claro que ideias respaldas por definição de objetivo funcionam da mesma maneira para o bem ou para o mal, mas, acima de tudo, funcionam.

O movimento do Rotary Club começou como uma ideia criada na mente de um advogado com o propósito de ampliar sua rede pessoal de conhecidos e, assim, construir sua prática jurídica sem violar a ética da profissão. A ideia do Rotary Club era bem humilde no começo, mas foi amparada por definição de propósito até que, agora, se espalha por toda a Terra e serve como um meio pelo qual os homens se unem em um espírito de companheirismo em quase todos os países do mundo.

O Novo Mundo foi descoberto e civilizado como resultado de uma ideia amparada por definição de objetivo expressado na mente única de um humilde navegador. Em breve poderá chegar o tempo em que esse mundo recém-descoberto se tornará a última fronteira da civilização, levando assim novamente sua descoberta ao topo da lista das coisas importantes que afetam a humanidade.

O cristianismo, maior poder singular para o bem conhecido pelo mundo, começou como uma ideia na mente de um humilde carpinteiro. Pela persistente aplicação do princípio de definição de propósito, essa ideia seguiu em frente por quase dois mil anos, e pode estar nela a expectativa de salvação frente à atual tendência de destruição da civilização, se os homens praticarem seus dogmas.

Aquilo em que os homens acreditam, sobre o que falam e o que esperam tem um jeito estranho de se fazer presente de uma forma ou outra. Que aqueles entre nós que lutam para se libertar das limitações de pobreza e infelicidade não se esqueçam dessa grande verdade, porque ela se aplica a um indivíduo e também ao povo de uma nação.

Vamos agora dar atenção ao princípio funcional por meio do qual pensamentos, ideias, planos e objetivos colocados na mente consciente encontram seu caminho para a área subconsciente da mente, onde são absorvidos e levados à sua conclusão lógica pela inteligência infinita.

A transferência de pensamento da mente consciente para a subconsciente pode ser acelerada pelo processo simples de aumentar ou estimular as vibrações do pensamento por meio da fé, do medo ou de qualquer outra emoção intensificada, como o entusiasmo, um desejo ardente baseado em definição de objetivo, ou ódio e inveja. Pensamentos que se baseiam na fé parecem ter precedência sobre todos os outros na questão da definição e rapidez com que são entregues ao subconsciente. A velocidade com que o poder da fé trabalha deu origem à crença de que certos fenômenos são resultados de "milagres". Atualmente, psicólogos não reconhecem nenhum fenômeno como milagre, alegando que tudo o que é e tudo o que acontece é resultado de uma causa definida. Que seja, é fato bem conhecido que a pessoa que consegue libertar a mente de todas as limitações autoimpostas por meio da atitude mental conhecida como fé geralmente encontra solução para todos os seus problemas, qualquer que seja sua natureza.

Inteligência infinita, embora não seja uma solucionadora automática de enigmas, leva a uma conclusão lógica qualquer ideia, meta, objetivo ou desejo claramente definido, submetidos à mente subconsciente com uma atitude mental de fé perfeita. No entanto, inteligência infinita nunca tenta modificar, mudar ou alterar nenhum pensamento a ela submetido, e nunca se teve notícia de que tenha agido a partir de um mero desejo ou ideia, pensamento ou objetivo indefinidos. Plante essa ideia com raízes firmes em sua mente, e vai se descobrir de posse de poder suficiente para resolver seus problemas diários com muito menos esforço que a maioria das pessoas dedica a se preocupar com seus problemas.

Os chamados "palpites" muitas vezes são sinais indicando que a inteligência infinita está tentando alcançar e influenciar a mente consciente. Normalmente, eles vêm em resposta a alguma ideia, plano, objetivo ou desejo, ou a algum medo que foi entregue à inteligência infinita por meio do subconsciente. Palpites devem ser tratados civilmente e examinados com cuidado, uma vez que muitas vezes transmitem, no todo ou em parte, informação do maior valor para o indivíduo. Esses palpites costumam aparecer muitas horas, dias ou semanas depois que o pensamento que os inspirou chegou ao reservatório da inteligência infinita; enquanto isso, o indivíduo muitas vezes esqueceu o pensamento que os inspirou.

Esse é um assunto profundo sobre o qual até a mais sábia das pessoas sabe muito pouco. É um assunto que só se revela por meio da meditação. Muitos acreditam que é assim que opera o poder da prece. Muitos acreditam, também, que a definição de objetivo, amparada pela fé, é em si mesma a melhor das preces. Entenda o princípio mental aqui descrito e você terá uma dica confiável sobre por que a prece, às vezes, traz aquilo que a pessoa deseja, enquanto outras vezes ela traz aquilo que não se quer. Considere o fato de muita gente recorrer à prece só depois de todo o resto ter falhado, geralmente na hora da emergência, quando a mente está saturada de medo e dúvida, e você pode ter a resposta sobre por que a oração costuma trazer aquilo que se menos deseja. Se você recorrer à prece com a mente toda ou parcialmente tomada por medo ou dúvida, a inteligência infinita parece acomodar as emoções levando sua conclusão lógica à exata atitude mental em que você reza.

O tipo de fé que traz resultados, sem exceção, é aquela atitude mental em que se vê o objeto desejado já na mão, mesmo antes de ir rezar. Esse tipo de atitude mental só se alcança pelo preparo e pela disciplina da mente. Às vezes a disciplina pode ser o resultado do esforço deliberado por parte de um indivíduo; outras vezes, ela pode ser resultado de algum grande pesar ou desapontamento profundamente enraizado que força o indivíduo a se voltar para o seu "eu interior" em busca de consolo, e aí está a comprovação de que o fracasso, às vezes, é uma bênção disfarçada.

Uma análise cuidadosa da civilização o impressionará com a profundidade com que a raça humana é advertida de tempos em tempos, por meio de alguma grande calamidade, como uma depressão mundial, conferindo, assim, lógica à teoria de que fracasso e decepção são armas de disciplina com as quais os seres humanos são forçados a recorrer à sua natureza espiritual para ter ajuda. A depressão de dez anos que se alastrou pelo mundo todo de 1929 a 1939 poderia facilmente ser considerada o jeito da natureza de forçar os habitantes do mundo a recuperar valores espirituais que tão prodigiosamente perderam durante a Primeira Guerra Mundial.

Nenhum grande líder jamais se tornou conhecido por alcançar sucesso digno de nota sem recorrer a forças espirituais. Existe um poder maior que o próprio homem, e ele é muitas vezes incompreensível para a mente finita do homem. É essencial aceitar essa verdade para chegar à realização bem-sucedida de qualquer objetivo definido. Os grandes filósofos de todos os tempos, de Platão e Sócrates a Emerson e os modernos, e os grandes estadistas de todos os tempos, de George Washington a Abraham Lincoln, tornaram-se conhecidos por terem recorrido ao seu "eu interior" em tempos de emergência. Nenhum sucesso grandioso e duradouro jamais foi alcançado, e nenhum será, exceto por aqueles que reconhecem e usam os poderes espirituais do infinito como são sentidos em seu "eu interior". Deixar de reconhecer essa verdade profunda pode ser a maior razão pela qual o mundo está hoje quase falido espiritualmente! Não importa quem você é, ou qual é sua vocação, você nunca vai se apropriar de grande poder se negligenciar ou se recusar a reconhecer e usar suas forças espirituais.

Há um homem que dizem ter sido o maior vendedor de seguros de vida dos Estados Unidos. Por quinze anos seguidos, ele foi membro do Million Dollar a Year Club (Clube do Um Milhão de

Dólares por Ano), uma organização de vendedores de seguro de vida que vendem o mínimo de um milhão de dólares em seguros anualmente. Por mais "frio e calculista" que ele seja em relação aos seus assuntos profissionais, como contam, ele nunca aborda um possível comprador de seguro sem preparar a mente por uma hora, no mínimo, de comunhão introspectiva com seu "eu interior", tempo durante o qual deixa de lado a "frieza" e a substitui pela força espiritual que é capaz de controlar. Esse é outro jeito de dizer que ele comunga com Deus em oração. Ele descobriu que a inteligência infinita atua a partir de desejo para servir seus semelhantes por meio do seguro de vida, tão depressa e definidamente quanto age sobre qualquer outro objetivo.

Esse homem não faz gestos eloquentes relacionados aos seus métodos de vendas, nem exibe suas crenças religiosas. Seu método de recorrer às forças espirituais de seu ser para ter ajuda no exercício diário da profissão é algo que fica entre ele e seu Criador. Manifesta-se em um desejo sincero de servir aos semelhantes. De alguma maneira, não podemos deixar de pensar que, talvez, o jeito quieto e despretensioso com que esse homem busca a origem do poder espiritual dentro dele mesmo o leva muito mais perto da fonte de todo poder do que os métodos de alguns outros homens que anunciam sua religião de maneiras mais dramáticas. Pessoas que julgaram o finado Thomas A. Edison sem saber muita coisa, se é que sabiam algo, sobre suas crenças pessoais cometeram o engano de presumir que ele se tornou o maior inventor do mundo por causa de seu grande poder racional. A verdade é justamente o contrário dessa crença. O autor foi muito próximo de Edison por um longo período, e pode dizer, portanto, que o sucesso de Edison se devia, em grande parte, ao hábito de recorrer ao "homem interior" para buscar a solução dos problemas mais difíceis. Edison entendia e usava em sua plenitude seu estado espiritual. Ele era muito mais profundamente espiritual em natureza do que muitas pessoas que proclamam enraizadas crenças espirituais.

Para muitas pessoas, também pode ser uma grande surpresa descobrir que a estupenda sabedoria industrial e financeira de Henry Ford tem raízes no hábito de recorrer a suas forças espirituais e usá-las. Ford nunca declara ou anuncia sua crença espiritual, mas declarou saber que deve suas riquezas e grandes realizações a seu conhecimento e uso do espiritual. Diferentemente dos ditadores da Europa, que gritavam a plenos pulmões dos telhados das casas que estavam destinados à vitória porque Deus estava do lado deles na batalha, Ford é discreto sobre seus negócios e submete silenciosamente cada meta e objetivo aos reservatórios espirituais de sua alma. Se é possível julgá-lo por suas realizações, seu sistema tem a vantagem de levá-lo sempre em frente, apesar da oposição de grupos poderosos de homens que, inúmeras vezes, tentaram derrotá-lo.

Andrew Carnegie disse uma vez: "Identifique o semelhante que fortalece suas metas e seus objetivos com forças espirituais, porque ele está apto a desafiá-lo em sua posição e passar na sua frente rumo ao pódio". Quando Carnegie olhou para o futuro, mais de trinta anos atrás, e profetizou que Henry Ford se tornaria o fator dominante na indústria automobilística, baseou sua profecia no conhecimento de que Ford admitia e usava seu estado espiritual.

Há pouco tempo o editor de *Think and Grow Rich* (uma interpretação em volume único de uma parte da filosofia da realização individual) começou a receber por telégrafo encomendas desse livro de livrarias em Des Moines, Iowa e entorno. As mensagens pediam remessas imediatas do livro, entrega expressa. Nem o autor, nem o editor da publicação sabiam o que causava a repentina elevação nas vendas do livro na região de Des Moines até várias semanas depois, quando o autor recebeu uma carta de Edward P. Chase, de Des Moines, um vendedor de seguro de vida que representava a Sun Life Assurance Company. Ele dizia na carta:

> *"Escrevo para expressar minha profunda gratidão por seu livro* Pense e enriqueça. *Segui seus conselhos ao pé da letra. O resultado foi que tive uma ideia que resultou na venda de uma apólice de dois milhões de dólares. Essa é a maior venda desse tipo jamais feita em Des Moines."*

A frase-chave na carta de Chase é a segunda: "Segui seus conselhos ao pé da letra". Gostaria de contar rapidamente como Chase converteu com facilidade o conteúdo do livro em uma venda de seguro de vida maior em valor do que um corretor médio vende em quatro anos de muito esforço. Em primeiro lugar, o livro que inspirou essa grande transação literalmente abunda em estímulos espirituais, fato que muitos de seu um quarto de milhão de leitores pode atestar.

Em uma frase, Chase conta que leu o livro com a mente aberta e "seguiu seus conselhos ao pé da letra". Quando foi vender uma apólice de seguro de dois milhões de dólares, levou com ele uma

DEFINIÇÃO DE OBJETIVO que era amparada pelo irresistível poder da fé. Não só ele leu o livro, outros também talvez o fizeram. Não o deixou de lado com ceticismo, pensando que os princípios nele descritos poderiam funcionar, ou não. Ele o leu com a mente aberta, reconheceu as estimulantes forças espirituais que descrevia, apropriou-se dessas forças e, imediatamente, as colocou em ação em seu trabalho de vendedor de seguro de vida.

Em algum lugar na leitura do livro, a mente de Chase fez contato com a mente do autor, e esse contato acelerou sua mente de um jeito tão definido e intenso que uma ideia nasceu. A ideia era vender uma grande apólice de seguro, talvez a maior já vendida. A venda dessa apólice tornou-se seu OBJETIVO PRINCIPAL DEFINIDO imediato. Ele pôs esse objetivo em prática sem demora, e – atenção! – o objetivo foi alcançado. Não foi necessário mais tempo ou esforço para vender a apólice de dois milhões de dólares do que poderia ter sido para vender outra de mil dólares. Como Carnegie tão bem colocou, o homem que é motivado pelo espiritual "está apto a desafiá-lo em sua posição e passar na sua frente rumo ao pódio", esteja ele vendendo apólices de seguro de vida ou cavando valas. Não existe fracasso para o homem que passa a conhecer o poder espiritual e tem fé nesse poder para usá-lo como meio de resolver seus problemas.

Como disse uma vez Andrew Carnegie, "Um grande ponto fraco em alguns homens é que sabem demais! Sabem muitas coisas que não vão funcionar". O que ele quis dizer com isso foi: algumas pessoas são tão pouco familiarizadas com a força do poder espiritual que deixam de usar esse poder, contando com o que acreditam ser sua própria sabedoria racional para cuidar da vida. Os homens verdadeiramente grandes são sempre humildes e mantêm a mente aberta. O egocêntrico arrogante nunca se aproxima da inteligência infinita, e, sem essa ajuda, as realizações do homem são pequenas.

A simples leitura casual deste livro não dará a seus estudiosos todos os benefícios do conhecimento que ele transmite. O livro tem mais do que aquilo que se vê nas páginas impressas. Tem aquele "algo mais" escondido nas entrelinhas, algo que pode ser descoberto apenas pelo leitor que o lê com a mente aberta e um OBJETIVO DEFINIDO, e com uma determinação de sintonizar e apreender o espírito do grande mestre do aço e outros homens distintos cuja filosofia de realização será encontrada ao longo destas lições.

Visão é uma virtude de valor incalculável. Mas visão passional conduz apenas a devaneio impraticável. Carnegie definiu o princípio de definição de objetivo com clareza suficiente para ser entendido por qualquer escolar, mas definição de objetivo significa apenas visão passional até que, e a menos que, ganhe vida e ação pela aplicação dos poderes espirituais do indivíduo. Definição de objetivo não é mais que o ponto de partida para o sucesso.

Um objetivo deve ser elevado da categoria passiva e vestido com as forças espirituais da ação! Um objetivo principal, para que se garanta sua mais plena realização, deve ter a proporção da obsessão. Há uma fórmula definida por meio da qual esse desejo pode ser alcançado, e vou agora apresentá-la:

A FÓRMULA PARA TRADUÇÃO DE DEFINIÇÃO DE OBJETIVO EM SEU EQUIVALENTE FÍSICO

- Escreva uma declaração completa e clara de seu objetivo principal definido na vida, decore-o e repita-o em voz alta pelo menos uma vez por dia. Você deve proceder como se seu objetivo principal fosse uma prece, e a fé em sua capacidade de alcançar seu principal objetivo deve ser tão definida que você possa se ver já de posse dele.
- Em outra página, escreva uma declaração clara do plano ou planos pelos quais espera alcançar seu principal objetivo. É importante que você mantenha todos os planos suficientemente flexíveis de forma que possa alterar, modificar, mudar ou superar todos eles com planos melhores a qualquer momento em que sentir "a urgência interior" para isso. Lembre-se, o propósito de repetir diariamente seu principal objetivo é gravá-lo na mente subconsciente, onde ele será apreendido e posto em prática pela inteligência infinita. Lembre-se também de que a inteligência infinita pode encontrar seus próprios planos para a tradução desse objetivo em seu equivalente físico. Esteja sempre alerta, portanto, ao sinal para mudar seus planos. O sinal virá na forma de uma ideia repentina ou "palpite" que se apresentará à sua mente, talvez em um momento em que você menos esteja esperando. Quando o chamado surgir, não hesite, responda imediatamente e faça todas as mudanças nos planos que ele inspirar.

- Quando escrever uma declaração de seu principal objetivo, inclua na afirmação um prazo definido e no qual deseja realizá-lo. Para as leis da natureza, assim como para as leis do homem, o tempo é de importância vital. Contratos legais precisam ter um prazo razoável de cumprimento para serem válidos. O mesmo vale em relação a uma ligação com a inteligência infinita. Se não for mencionado um limite de tempo para a aquisição do principal objetivo do indivíduo, a inteligência infinita pode estabelecer o próprio tempo. A inteligência infinita tem muito tempo e, a menos que você estabeleça seu prazo para alcançar seu principal objetivo, ela pode não providenciar a realização a tempo de fazer algum bem.
- Controle sua "atitude mental" durante o período em que estiver repetindo verbalmente a declaração escrita de seu principal objetivo. Nunca comece essa cerimônia profunda até estar completamente sozinho, e não comece enquanto não limpar a mente de medo, dúvida e preocupação. A inteligência infinita atua a partir da "atitude mental" com que você apresenta seus desejos e suas demandas. Se você entender o total significado dessa instrução e desenvolver o hábito de colocá-la em prática com fidelidade, logo vai se descobrir de posse da chave que vai abrir a porta do reservatório de seu estado espiritual quando quiser.

O QUE DEVE CONSTAR NA DECLARAÇÃO ESCRITA DE SEU OBJETIVO PRINCIPAL DEFINIDO

Para que nenhum leitor se confunda com que assuntos deve cobrir um objetivo principal definido, o autor apresenta a seguir um esqueleto que serve como guia:

1. O primeiro parágrafo deve estabelecer com clareza a realização desejada dentro do prazo escolhido para a realização de seu principal objetivo.
2. O segundo parágrafo deve descrever com clareza e definição a qualidade e quantidade exatas do serviço que se pretende prestar em troca da recompensa pretendida, para que não haja ilusões nesse ponto. A inteligência infinita nunca recompensa pessoas dando alguma coisa em troca de nada, nem favorece a pessoa que espera ou exige pagamento desproporcional ao valor que pretende dar em troca. Os homens podem enganar uns aos outros, e enganam, às vezes, *mas nunca se soube de alguém que tenha enganado a inteligência infinita.*
3. O terceiro parágrafo deve descrever a "atitude mental" com que se pretende prestar o serviço que será dado pelo dinheiro exigido. A descrição deve estabelecer com clareza que você se relaciona em espírito de harmonia com todas as pessoas que, de alguma forma, forem afetadas pelo serviço que presta. Quando cumprir essa instrução, lembre-se de que as pessoas a quem você presta o serviço serão afetadas por sua "atitude mental"

e seu modo pessoal de conduta; respondem à sua "moldura mental" da mesma forma que a inteligência infinita a percebe. Novamente, não perca o profundo significado dessa instrução. Se perder, o erro vai custar todos os resultados de seus esforços.

4. No quarto parágrafo, escreva uma descrição clara do papel que pretende assumir para cumprir seu dever como cidadão americano, lembrando, enquanto escreve, que ninguém tem o direito de desfrutar de privilégios abundantes do americanismo sem contribuir com alguma coisa de valor para perpetuar e apoiar o sistema de vida americano. Seu compromisso nesse parágrafo será uma medida exata de seu caráter; portanto, seja generoso ao assumir a responsabilidade com seu país. Lembre-se também de que sua "atitude mental" em relação a seu país vai refletir, em um grau surpreendente, a "atitude mental" que você vai exibir em relação a seus associados mais próximos e com aqueles a quem presta o serviço que espera que forneça o retorno de riquezas materiais ou outro tipo de realização que espera. Ser respeitado e querido pelos outros equivale a remover a maioria dos obstáculos que você vai encontrar no caminho para o seu objetivo principal definido. Você tem, portanto, uma razão muito sólida para melhorar o relacionamento com todos com quem se associa de maneira próxima.

5. No quinto parágrafo, escreva uma declaração clara dos meios e maneiras que pretende adotar para desenvolver e usar as forças espirituais ao seu dispor. Esse compromisso de sua parte pode adotar qualquer método desejado, mas certamente obriga você a seguir hábitos religiosos definidos voltados para o uso mais

amplo e positivo de seu estado espiritual. Se você faz parte de uma igreja, deve intensificar e melhorar o relacionamento com seus conselheiros espirituais. Se não pertence a uma igreja, não segue nenhum ensinamento religioso, deve se afiliar. A igreja fornece uma atmosfera de estímulo espiritual de que todo mundo precisa. Mas aqui, como em todo relacionamento humano, só se pode receber na medida em que se dá. A melhor porção de qualquer benefício religioso vem do papel que se assume em relação às atividades da igreja. Mãos à obra.

6. No sexto parágrafo, comprometa-se a exercitar seu direito e seu dever de voto em todas as eleições de que puder participar. Você não pode ser um bom cidadão sem fazer sua parte na escolha de representantes públicos honestos e confiáveis. Se o espírito de americanismo de que nos gabamos é seguir sendo um poder democrático e livre para o bem de todos os cidadãos, cada cidadão deve assumir seu dever e ajudar a manter homens honestos nos gabinetes, pelo poder das urnas.

7. No sétimo parágrafo, escreva uma descrição clara e definida da "atitude mental" com que pretende melhorar seu relacionamento com os membros de sua família. Essa instrução é de especial importância para os homens que são chefes de família. A esposa de um homem é, se ele se relaciona com ela da maneira apropriada, de grande benefício para ajudá-lo a manter e usar sua coragem. Ela deve ser o membro mais importante de seu grupo de MasterMind, mas fará mais mal do que bem se não for totalmente solidária aos seus objetivos e propósitos. O fato de a maioria dos grandes líderes em todos os tempos

terem contado com a harmoniosa cooperação de uma mulher é muito significativo. Quando a mente de um homem e a de uma mulher se fundem em espírito de contínua harmonia, solidariedade e união de propósito, eles podem superar quase qualquer obstáculo que possa surgir no caminho.

8. No oitavo parágrafo, comprometa-se de forma definitiva e irrevogável a nunca maldizer nem falar de maneira depreciativa de outra pessoa, quaisquer que sejam seus impulsos para isso. Nada é mais fatal ao desenvolvimento do estado espiritual que o hábito da fofoca, conversa sem fundamento e maledicência. Pessoas bem-sucedidas não se dedicam a esse hábito vulgar. É um insulto à alma da própria pessoa, um golpe contra a inteligência infinita.

ALGUNS HOMENS QUE AJUDARAM A FAZER A AMÉRICA PELO PRINCÍPIO DA DEFINIÇÃO DE PROPÓSITO

Como um clímax apropriado para este capítulo, apresento aqui alguns breves esboços de alguns homens bem conhecidos que contribuíram para o espírito do americanismo, como nós, desta geração, entendemos essa disposição. Os registros das conquistas desses homens mostram com clareza que eles entenderam e aplicaram o princípio da definição de objetivo, sem o qual, sem dúvida, não poderiam ter sido incluídos nessa lista de sucesso distinto.

Henry Ford, o industrial número um da América, embora se classifique com pontuação muito alta na maioria dos princípios da filosofia da realização, tem como maior traço de distinção o hábito de agir com definição de propósito. É possível atribuir à aplicação desse princípio, mais do que a quaisquer outros princípios de sucesso, sua supremacia industrial e fortuna. Ford permitiu que engenheiros supervisionassem seus automóveis, mas não sua política comercial. Desde o início da carreira de industrial, ele adotou como seu objetivo principal definido a produção e venda de automóveis baratos e confiáveis. Esse ainda é seu principal objetivo, e ninguém vai questionar sua solidez diante dos quarenta anos de sucesso que a confirmam.

Mais de duzentos outros homens, cujos nomes hoje não são lembrados pela maioria das pessoas, passaram pelo ramo automobilístico desde que Henry Ford começou nele. Muitos tinham formação acadêmica melhor que a de Ford, e quase todos tinham mais capital que ele para começar a carreira. O que não tinham, e de que precisavam mais que do capital de giro, era um espírito claro e bem definido de DEFINIÇÃO DE OBJETIVO.

Thomas A. Edison foi grande porque sua mente funcionava com definição de objetivo. Qualquer homem que se mantém fiel a uma tarefa ao longo de dez mil fracassos, como Edison enquanto buscava um princípio funcional para a lâmpada elétrica incandescente, não pode ser descrito por outro adjetivo que não seja "grande". Pessoas que não são grandes geralmente desistem depois de um ou dois fracassos, e algumas até os antecipam antes de acontecer e correm para se esconder, em vez de enfrentá-lo.

Quando **Walter Chrysler**, ainda jovem, gastou seus últimos dólares em um carro, ele levou a máquina para casa para desmontá-la.

Removeu cada parafuso, porca e grampo. Tirou os pistões e o virabrequim. Removeu as válvulas e a caixa de câmbio. Depois começou a colocar tudo no lugar. Ele repetiu o processo muitas vezes, até os pais começarem a pensar que ele estava maluco. Mas Chrysler sabia o que estava fazendo! Tinha escolhido como seu objetivo principal definido fabricar automóveis. Antes de começar, ele queria aprender tudo que fosse possível sobre a construção mecânica de um automóvel. Mas, mais importante que isso, queria que a mente se apropriasse do automóvel. Quando finalmente entrou em ação e começou a construir automóveis, sua repentina ascensão à fama e à fortuna se tornou o assunto do mundo industrial.

Já foi dito que um homem pode fazer tudo o que quer se sabe exatamente o que quer e deseja com intensidade suficiente. A afirmação parece ser muito ampla, mas a observação da força da mente serve para confirmá-la. Muitos anos atrás, **Russell Conwell** queria uma grande quantia em dinheiro para fundar uma faculdade na Filadélfia. Sem dinheiro, e sem saber como levantar a quantia pelos canais comerciais ortodoxos, ele foi finalmente forçado a se voltar para seu "eu interior", influenciando a mente a produzir uma ideia que trocou pelo dinheiro de que precisava. A ideia foi dada a ele por meio de um "palpite" que invadiu seu cérebro com tanta intensidade que o acordou. A ideia era simples. Consistia em uma palestra que ele se sentiu inspirado a escrever, e que ele ofereceu com o título de "Acres de Diamantes". A palestra foi proferida pelo Dr. Cornwell muitas milhares de vezes e rendeu, ao longo de sua vida, mais de quatro milhões de dólares. Mais tarde foi publicada em forma de livro e se tornou um *best-seller* por muitos anos. Ele ainda é publicado.

A palestra parece elementar e simples quando lida nas páginas de um livro, mas contém toda a força espiritual do grande entusiasta que a escreveu, e foi esse elemento espiritual que a fez penetrar no coração de todos que a ouviram. Se um homem escreve um livro, faz um sermão ou constrói um carro, se recorre com liberdade às forças de seu estado espiritual enquanto está trabalhando, e sabe com precisão o que quer conquistar com seu trabalho, estará mais que apto a criar uma obra-prima. Esforços mornos produzem apenas produtos mal-acabados. A "atitude mental" com que um homem faz seu trabalho é o fator determinante quanto à sua qualidade. Por isso, um homem faz melhor aquilo que mais gosta de fazer.

Frank Gunsaulus, um jovem pregador, queria muito fundar uma faculdade em Chicago. Sem recursos e sem amigos influentes que pudessem ajudá-lo a levantar o dinheiro, ele se voltou, como o Dr. Russel Conwell, para seu "eu interior" a fim de suprir suas necessidades. A quantia que ele pretendia era a enorme soma de um milhão de dólares, um valor bem alto para um jovem clérigo desconhecido angariar sozinho. Mas "Deus age de um jeito misterioso para realizar Suas maravilhas".

O reverendo Gunsaulus queria o milhão de dólares com um fervor suficiente para se tornar determinado a conseguir o dinheiro. Partindo de uma ideia baseada em um objetivo principal definido, ele se sentou em seu escritório e concentrou os pensamentos em meios e maneiras de adquirir a fortuna de que precisava. Por mais de três horas, não desviou a mente desse assunto. Exigiu do subconsciente que se projetasse no interior do grande reservatório de inteligência infinita, onde sabia que não havia carência de poder para produzir dinheiro ou qualquer coisa que o ser humano desejasse ou de que precisasse, e que trouxesse para ele o plano pelo qual pudesse adquirir o dinheiro. Sua mente disciplinada passou a trabalhar para ele com velocidade e precisão. Mentes disciplinadas sempre trabalham desse jeito.

Em poucas horas, a resposta apareceu. Surgiu em sua mente do nada, e ele a expressou. A ideia consistia em um sermão que ele se sentiu inspirado a preparar, chamado "O que eu faria com um milhão de dólares". Ele anunciou nos jornais de Chicago que pregaria na manhã de domingo seguinte sobre esse assunto. O anúncio chamou a atenção do rei das embalagens, o falecido Philip D. Armour, que por curiosidade, talvez (o reverendo Gunsaulus atribuiu o estranho fenômeno a outra causa providencial), quis ouvir o sermão.

Depois que o reverendo Gunsaulus terminou de falar, Armour se levantou de seu lugar, percorreu lentamente o corredor até o púlpito e, para grande surpresa da congregação, apertou a mão do jovem pregador e disse: "Fiquei muito impressionado com seu sermão. Se quiser ir ao meu escritório amanhã de manhã, vou lhe dar o cheque de um milhão de dólares". Ele doou o dinheiro, e Gunsaulus o usou para fundar o Armour Institute of Technology, uma das mais conhecidas faculdades do Meio-Oeste.

Gunsaulus contou como recorreu ao seu estado espiritual para ter a resposta a suas necessidades. "Antes de ir ao púlpito para fazer aquele sermão", ele explicou, "fui ao meu banheiro, apaguei as luzes, ajoelhei e rezei por uma hora inteira, pedindo para meu sermão render o milhão de dólares de que eu precisava. Não tive a pretensão de dizer a Deus onde arrumar o dinheiro. Só pedi que Ele me guiasse à fonte certa. Quando me dirigi ao púlpito, uma grande confiança se apoderou de mim. Senti, então, que já tinha o dinheiro."

Uma subsequente comparação da correspondência entre Gunsaulus e Armour revelou o fato surpreendente: no minuto em que Gunsaulus entrou no banheiro para rezar, Armour lia o anúncio do sermão no jornal, e enquanto ele orava, Armour decidiu ir ouvir suas palavras. "Tive uma sensação estranha", ele contou, "que me impeliu a sair e ir ouvir o sermão."

Tem algo de profundamente impressionante em experiências como essa, em especial quando se conhecem os personagens e se tem todos os motivos para acreditar em seus depoimentos. Não é estranho, na verdade, que os homens busquem o atendimento a suas necessidades aqui e agora, só para descobrir finalmente que o verdadeiro método de abordagem da fonte de suprimento consiste na única coisa sobre a qual os seres humanos têm total controle, o poder de sua mente? Nela está a origem de todas as riquezas, a resposta a todos os desejos, a solução para todos os problemas, mas frequentemente recorremos a essa fonte apenas como um último recurso, depois de termos quase eliminado nossos poderes espirituais por meio de desapontamentos decorrentes de nossos esforços para atender a nossas necessidades em outras fontes.

Knut Hamsun, um jovem norueguês, passou vinte anos tentando encontrar seu lugar no mundo. Ele queria ser bem-sucedido em alguma atividade, mas tudo que tentava acabava não dando em nada. Ele aceitava empregos pequenos que encontrava, e era chutado de um lugar para o outro. Finalmente, conseguiu um emprego de condutor de bonde em Chicago. Depois de algumas semanas, foi sumariamente demitido. O homem que o demitiu disse que ele não tinha cérebro suficiente para aceitar as moedas das pessoas que davam dinheiro a ele. Esse desafio despertou Hamsun e o levou a tomar uma decisão, fazer alguma coisa que o tirasse da condição de pobreza. Ele se sentou na calçada e meditou por várias horas, e começou, inconscientemente, no início, a aplicar o princípio da definição de objetivo. A ideia era que, já que ele era o maior fracasso do mundo, escreveria um livro no qual descrevesse o sentimento de um homem que gozava de tal "distinção". Ele chamou o livro de *Fome*, seguido rapidamente por *Os frutos da terra*. Recebeu o valor de 25 mil dólares do Prêmio Nobel de Literatura e, posteriormente, aposentou-se em sua adorada Noruega, onde os editores do mundo foram bater em sua porta. Ele também se voltou para seu "eu interior" depois de todas as outras fontes terem falhado, e lá encontrou uma mina de ouro que não sabia possuir.

Milo C. Jones, de Wisconsin, sofria de paralisia dupla e não conseguia mover nenhum músculo do corpo. Antes de ser acometido pela doença, ele era um fazendeiro que mal conseguia sobreviver. Quando o "infortúnio" o encontrou, ele não pôde mais trabalhar em sua fazenda. Então, por pura necessidade, voltou-se para seu "eu interior", descobriu a própria mente e começou a usá-la. Deitado de costas na cama, ele orientou a família para a implementação de uma ideia que teve na forma de "palpite" depois que ficou paralisado. A ideia era bem simples. Consistia em plantar milho e criar porcos e transformá-los em linguiça. Ele chamou seu produto de "*Little Pig*

Sausage" (Linguiça de Porquinho). Antes de morrer, vários anos mais tarde, ele havia juntado uma fortuna de mais de um milhão de dólares e estabelecido um negócio que atendia a pessoas de todos os Estados Unidos.

Como é estranho que os homens não descubram o poder de sua mente antes de serem forçados a isso por aflição ou fracasso. Em sua hora de maior desespero, Milo C. Jones descobriu seu estado espiritual. Recorreu a ele porque não tinha mais nada a que recorrer. Ele contou ao autor que nunca tinha pensado nisso antes da doença, em depender da própria mente para suprir suas necessidades. Dependia das mãos e pernas, uma fonte de rendimento que valia alguns dólares por dia, no máximo, ignorando completamente as riquezas de seu estado espiritual.

James J. Hill construiu o sistema Great Northern Railroad com definição de objetivo e fez dele um sucesso. Sua ascensão do cargo humilde de operador de telégrafo ao cargo de diretor desse sistema foi sistematicamente planejada. Em nenhum momento ele contou com a sorte para a obtenção de poder pessoal.

Quanto tempo vai demorar até aprendermos que as pessoas se movem para o lado e dão passagem para o homem que sabe exatamente aonde vai e demonstra com seus atos que está decidido a chegar lá? Mas isso é verdade. Comprove por si mesmo e se convença. Comece a andar na rua no meio das pessoas, ande devagar como se não soubesse para onde está indo, com a indecisão estampada no rosto, e observe como as pessoas o empurrarão para o lado de um jeito rude. Reverta a tática, acelere o passo, olhe para a frente com firmeza e faça cara de determinação; observe como as pessoas saem do seu caminho depressa para deixar você passar. Qualquer multidão abre espaço para o homem que vai a algum lugar e cujas atitudes indicam, definitivamente, que ele espera que as pessoas saiam de seu caminho.

A rua cheia não é o único lugar onde as pessoas vão abrir caminho quando um homem passar com definição de objetivo estampada no rosto e nas atitudes. Qualquer pessoa envolvida com o trabalho de vendas sabe que a própria "atitude mental" é um forte fator decisivo no fechamento de vendas. O vendedor que aborda seu comprador em potencial com um estado mental hesitante projeta, de algum jeito, essa disposição no comprador, que se apodera dela, age com base nela e se recusa a comprar. É fato muito conhecido que vendedores que sabem exatamente o que querem, e estão determinados a conseguir, tiram milhões de dólares anualmente do público em troca de pedaços de papel sem valor. É um fato igualmente conhecido que outros vendedores, com menos determinação e menos confiança, voltam para casa de mãos vazias, embora ofereçam bens de mérito e valor inquestionáveis.

Definição de objetivo é uma força irresistível, independentemente de como e com que propósito seja usada.

Ao ler os trabalhos de **Thomas Paine**, encontrei esta afirmação significativa: "A melhor parte desse conhecimento tão útil que adquiri surgiu em minha mente depois de profunda meditação e reflexão". Esse é o depoimento do homem que dizem ter sido um fator proeminente para o começo da Revolução Americana.

Enquanto organizava a filosofia da realização individual em colaboração com **Andrew Carnegie**, o autor teve a boa sorte e o privilégio de estar durante três anos e meio sob orientação do distinto cientista **Dr. Elmer R. Gates**, de Chevy Chase, Maryland. Por meio dessa associação próxima com o Dr. Gates, aprendi que a maioria das patentes por ele solicitadas para invenções úteis fora descoberta pelo princípio da definição de objetivo.

O método pelo qual essas descobertas (algumas delas básicas) foram feitas é o seguinte: Dr. Gates sentava-se à mesa em uma sala escura e à prova de som, concentrava a mente em fatos conhecidos relacionados às invenções em que trabalhava, esperava até a mente começar a enviar novas informações; então, ele acendia a luz e escrevia tudo que surgisse em sua cabeça. Ele ganhava a vida "sentando" e esperando por ideias, dessa maneira, para algumas das maiores corporações na América, que pagavam a ele um valor bem alto por hora, tendo ou não os resultados desejados.

Essa é uma autêntica descrição dos métodos de um grande cientista. A base de seu procedimento era definição de propósito, por meio da concentração da mente.

Como é trágico (mas verdadeiro!) que muitas pessoas passem a maior parte da vida procurando alguma ideia ou plano para chegar ao sucesso, sem reconhecer que o segredo de todo sucesso está na própria mente. Para recorrer a essa fonte infinita de poder, só precisamos nos apoderar da mente e usá-la. Nós, da América, não precisamos de nada de valor material que já não tenhamos em grande abundância. Temos liberdade como não existe em nenhum outro lugar. Temos riquezas não desenvolvidas de toda natureza concebível. Temos grandes instituições de ensino e bibliotecas onde se pode encontrar, por solicitação, todo o valioso conhecimento que a humanidade adquiriu ao longo da história da civilização. Temos o maior sistema industrial de todos os lugares. Temos o direito de usar nossa iniciativa pessoal em qualquer ocupação ou carreira que escolhermos. Temos uma formação religiosa que oferece poderes ilimitados e total liberdade de crença. Resumindo, temos tudo, exceto uma compreensão bem-definida do poder de nossa mente. Isso, infelizmente para aqueles que não têm, é aquilo de que mais precisamos, e por mais que pareça paradoxal, é o que nada custa, exceto o esforço para se apropriar dela e usá-la.

A responsabilidade de beneficiar-se deste capítulo agora é sua! Seu sucesso ou fracasso em apropriar-se e beneficiar-se dos princípios descritos nesta lição estão inseparavelmente ligados a nove palavras positivas, dinâmicas e inspiradoras. São elas: Definição, Decisão, Determinação, Persistência, Coragem, Esperança, Fé, Inciativa e Repetição. Repita as palavras com as quais estabeleceu seu principal objetivo definido muitas e muitas vezes. Faça do seu objetivo principal na vida uma obsessão. Pense nele em cada momento ocioso do dia, e nunca deixe passar um dia sem fazer alguma coisa, por menor que seja, que leve você mais perto da realização de seu objetivo. A mera repetição de seu objetivo principal definido não é suficiente. Você pode repeti-lo pelo resto da vida sem conseguir nada, a menos que respalde suas palavras com ação, ação, ação e ainda mais ação. É o fazer, não o saber, que conta na vida.

Se você não tem as ferramentas adequadas, ou o capital de giro, ou os associados necessários à plena realização de seu objetivo principal, trabalhe assim mesmo, exatamente onde está, e ficará surpreso quando descobrir como, de algum jeito misterioso que pode nem entender, ferramentas melhores serão postas em suas mãos.

Lembre-se, ninguém nunca está completamente pronto para fazer nada. Sempre falta alguma coisa, ou o momento parece não ser o ideal. Homens bem-sucedidos não esperam o momento ideal para começar uma tarefa. Começam onde estiverem; fazem as curvas do caminho quando chegam nelas, sem nunca se importar com os obstáculos que podem encontrar além delas, além do que alcança a visão imediata. Aqueles que esperam todos os equipamentos necessários para começar nunca conhecem o sucesso, porque equipamento completo raramente está disponível no começo do plano de qualquer pessoa.

Quando perguntaram qual era o segredo de seu sucesso, depois de triunfar sobre inimigos poderosos que tentavam destruí-lo, Disraeli, que talvez tenha sido o maior primeiro-ministro que a Grã-Bretanha jamais teve, respondeu: "O segredo do sucesso é a constância de objetivo". Esse é um pensamento adequado para encerrar este capítulo sobre definição de objetivo.

CAPÍTULO 2

O MASTERMIND

Antes de ler este capítulo, você precisa saber que o MasterMind é a base de todo poder pessoal que atinge proporções dignas de nota, em todas as realizações. Durante a análise de mais de quinhentos distintos americanos cujas realizações abrangiam muitas áreas do comércio e da indústria, descobriu-se que esse princípio era a própria base de seu sucesso.

O MasterMind é, provavelmente, o mais essencial dos princípios dessa filosofia, porque, como Carnegie explicou de maneira tão apropriada, é o meio pelo qual se pode tomar emprestadas a educação, a experiência e a influência de outras pessoas. Pela aplicação desse princípio, Thomas A. Edison, prejudicado como era pela falta de escolaridade até fundamental, tornou-se o maior inventor da América. Henry Ford o usou para desenvolver seu império industrial na América e em muitas outras partes do mundo.

Andrew Carnegie disse que, se tivesse que escolher só um dos princípios de realização e apostar suas chances de sucesso ou fracasso nesse princípio, ele escolheria o MasterMind. Uma análise cuidadosa dos registros de muitos homens bem-sucedidos mostra claramente que suas realizações se baseavam principalmente em dois dos princípios do sucesso, o MasterMind e a definição de objetivo. Seria difícil alguém superar a mediocridade sem ter estabelecido um objetivo definido por meio do assunto discutido no capítulo 1. Mas, tendo escolhido um objetivo, o indivíduo pode alcançá-lo com a ajuda apenas do MasterMind, usando a inteligência de terceiros.

Antes de direcionar esta lição para Andrew Carnegie, talvez seja útil, para ajudar o leitor a acompanhar a análise dele do princípio do MasterMind, definir esse princípio como "uma aliança de duas ou mais mentes, coordenadas e trabalhando juntas em espírito de perfeita harmonia, pela obtenção de um objetivo definido".

A partir dessa definição, fica evidente que uma aliança de MasterMind pode ser formada por duas pessoas trabalhando em harmonia pela realização de algum objetivo especial; ou ela pode ser formada por quantas pessoas forem necessárias, de acordo com a natureza do objetivo a ser realizado.

Observe a ênfase na palavra "harmonia", e o motivo para isso vai ficar claro à medida que você ler o que Carnegie diz sobre esse assunto. Agora eu conduzo o leitor ao escritório do grande mestre do aço, onde você pode sentar enquanto ele descreve o princípio ao qual credita a maior parte de suas impressionantes realizações.

CARNEGIE: Definição de objetivo é o primeiro dos princípios da realização. O segundo princípio é o MasterMind. Ninguém pode ter a esperança de alcançar o sucesso sem antes decidir o que quer; mas a mera escolha de um objetivo principal na vida não é, em si mesma, suficiente para garantir sucesso. Para alcançar seu principal objetivo, se ele for de proporções superiores à mediocridade, é preciso ter a ajuda, a educação e a experiência de outras pessoas. Mais ainda, é preciso relacionar-se com os membros de sua aliança de MasterMind de tal forma que o indivíduo assegure o total benefício de seus cérebros e um espírito de harmonia! Deixar de entender a importância de harmonia e solidariedade de propósito na mente de todos os membros de uma aliança de MasterMind custou a muitos homens a chance do sucesso nos negócios.

Um homem pode reunir um grupo cuja cooperação parece ter, e talvez a tenha, superficialmente; mas o que importa não são as aparências superficiais; é a "atitude mental" de cada membro do grupo. Antes de qualquer aliança de pessoas poder constituir um MasterMind, todos os indivíduos do grupo precisam ter o coração, além da cabeça, em total solidariedade com o objeto da aliança, e devem estar em perfeita harmonia com seu líder e todos os outros membros da aliança.

HILL: Acho que entendo seu ponto, mas não vejo como um homem pode ter certeza de induzir seus associados, em uma aliança de MasterMind, a trabalhar com ele em completa harmonia. Pode explicar como se faz isso?

CARNEGIE: Sim, posso dizer exatamente como relacionamentos harmoniosos são estabelecidos e mantidos. Para começar, lembre-se de que tudo que um homem faz tem por trás um motivo definido. Somos criaturas de hábito e motivo. Começamos a fazer coisas por causa de um motivo; continuamos fazendo essas coisas por causa de motivo e hábito, mas pode chegar o momento em que o motivo é esquecido e continuamos por causa do hábito estabelecido.

Há nove motivos principais aos quais as pessoas respondem. Vou descrever esses motivos, e então você vai ver por si mesmo como os homens são influenciados para trabalhar com outros em espírito de harmonia. Desde o início da organização de um grupo de MasterMind, o líder precisa escolher como membros de sua aliança, primeiro, homens que têm a capacidade de fazer o que se espera deles, e segundo, homens que respondam em espírito de harmonia ao motivo particular oferecido a eles em troca de sua ajuda.

OS NOVE MOTIVOS PRINCIPAIS

Aqui estão os nove motivos, e algumas combinações deles criam o "espírito mobilizador" por trás de tudo que fazemos:

1. A emoção do AMOR (portal para o poder espiritual do indivíduo)
2. A emoção do SEXO (puramente biológico, mas pode servir como poderoso estimulante à ação, quando transmutado)
3. Desejo de GANHO FINANCEIRO
4. Desejo de AUTOPRESERVAÇÃO
5. Desejo de LIBERDADE DE CORPO E MENTE
6. Desejo de AUTOEXPRESSÃO com vista a fama, reconhecimento
7. Desejo de perpetuação de VIDA APÓS A MORTE
8. A emoção da RAIVA, frequentemente expressada como inveja ou ciúme
9. A emoção do MEDO
   (Os últimos dois são negativos, mas muito poderosos como estímulos à ação.)

Aí estão os nove maiores mobilizadores de todas as mentes!

Na manutenção bem-sucedida de uma aliança de MasterMind, o líder em torno de quem a aliança se forma precisa contar com um ou mais desses motivos básicos para induzir cada membro de seu grupo a dar a cooperação harmoniosa necessária ao sucesso.

Os dois motivos aos quais os homens respondem de maneira mais generosa em alianças de negócios são a emoção do sexo e o desejo de ganho financeiro. Muitos homens querem dinheiro mais do que qualquer outra coisa; mas é comum que o queiram, principalmente, para agradar a mulher que escolheram. Aqui, então, a força motivadora é tripla: AMOR, SEXO e GANHO FINANCEIRO.

Tem um tipo de homem, no entanto, que trabalha mais pelo reconhecimento do que pelo ganho material ou financeiro. Esse tipo de ego pode se tornar muito poderoso na conquista de objetivos altamente construtivos, em que autocontrole suficiente é usado para garantir harmonia.

HILL: Pelo que diz, parece que o homem que constrói com sucesso uma organização de homens e a transforma em uma aliança de MasterMind precisa conhecer bem esses homens. Pode explicar como conseguiu escolher tão bem os homens em seu grupo de MasterMind? Escolheu esses homens no olho, ou selecionou pelo método de tentativa e erro, substituindo aqueles que provaram ser inadequados ao objetivo para o qual foram escolhidos?

CARNEGIE: Nenhum homem é esperto o bastante para julgar outros com precisão apenas olhando. Há certas indicações superficiais que podem ser sugestivas da habilidade de um homem, mas tem uma qualidade que é mais importante que todas as outras como fator decisivo do valor de um homem como membro de uma aliança de MasterMind, e ela, infelizmente, não é uma simples qualidade superficial. É sua "atitude mental" em relação a si mesmo e a seus associados. Se sua atitude é negativa, e ele tem propensão ao egoísmo, egocentrismo ou a ser adversamente provocativo em seu relacionamento com outras pessoas, não serve para uma aliança de MasterMind. Mais ainda, se for permitida a permanência desse homem como membro de um grupo de MasterMind, ele pode se tornar tão obstrutivo em sua influência sobre os outros membros que vai destruir a utilidade dos outros e a dele mesmo.

Uma experiência que tivemos em nosso grupo de MasterMind há alguns anos ilustra o que quero dizer. Nosso químico-chefe faleceu, e tínhamos que encontrar alguém para substituí-lo. Tentamos o assistente, mas ele não tinha a experiência necessária ao cargo, e precisamos procurar um homem mais velho e mais experiente. Finalmente encontramos alguém na Europa cujo histórico o fazia parecer exatamente a pessoa de que precisávamos, mas quando entramos em contato, descobrimos que ele não queria sair da Europa. Para contratar os serviços desse homem, seria necessário oferecer, como motivo ao qual ele se dispunha a responder, um salário muito maior do que aquele que pagávamos ao químico-chefe. Além disso, ele exigia um contrato de cinco anos. O homem conseguiu o que queria, e nós o contratamos, mas logo descobrimos que era teimoso e temperamental, e que não conseguia trabalhar de maneira harmoniosa com os outros membros de nossa equipe. Tentamos, sem sucesso, induzi-lo a mudar sua atitude mental. Em razão de tudo isso, ao final dos primeiros seis meses de sua contratação, ficou claro que precisávamos nos livrar dele, então pagamos o valor dos cinco anos de contrato e mandamos de volta para casa. A experiência custou caro, mas nada que pudesse se comparar ao que custaria ter mantido esse homem, uma força perturbadora, em nosso grupo de MasterMind.

O químico-chefe seguinte foi contratado por um período de experiência de um ano, com um aviso claro desde o início sobre a importância da harmonia em nossa organização.

É fato conhecido que um homem cuja atitude mental seja negativa, se ocupar posição de autoridade, vai projetar sua influência nos quadros e fileiras de toda uma organização, de forma a modificar a atitude mental de todos e torná-los insatisfeitos e, portanto, ineficientes para o trabalho.

Emerson sabia o que estava dizendo quando escreveu: "Toda instituição é a sombra alongada de um homem". Homens bem-sucedidos tomam para si a responsabilidade de observar cuidadosamente o tipo de "sombra estendida" que projetam. Eu mudaria ligeiramente a declaração de Emerson dizendo que todo negócio é a sombra estendida dos homens que o administram, porque, nos tempos atuais de grandes organizações, é impossível um só homem se tornar toda a influência orientadora de um grande empreendimento industrial, como a United States Steel Corporation. Seria mais correto se disséssemos que essa corporação é a sombra alongada do MasterMind que a dirige. Nesse caso o MasterMind consiste em mais de um grupo de mentes trabalhando juntas em espírito de harmonia pela realização de um objetivo definido.

Alguns membros do nosso grupo de MasterMind saíram das fileiras de nossos funcionários, depois de terem demonstrado sua capacidade. Alguns foram escolhidos fora da empresa, pelo método de tentativa e erro. Na maioria dos casos, os que vieram de fora haviam estabelecido sua capacidade em algum outro campo ou ocupação no qual seu histórico de realizações se destacava o suficiente para chamar nossa atenção. Alguns dos homens mais capazes em nosso grupo de MasterMind começaram de baixo e subiram com esforço, passando por muitos departamentos diferentes de nossa indústria. Esses homens conhecem o valor da harmonia e do esforço cooperativo. Esse é um dos segredos de sua capacidade para se promoverem a posições mais elevadas. O homem que tem capacidade em qualquer área, além da atitude mental certa em relação a seus associados, normalmente chega ao topo da cadeia, seja qual for sua ocupação. Há um grande prêmio para eficiência associada à correta atitude mental. Gostaria que enfatizasse isso em sua apresentação da filosofia da realização individual.

HILL: E o homem que organiza um grupo em uma aliança de MasterMind? Não é necessário que seja um mestre na área de realização a que se dedica, antes de poder comandar com sucesso outros indivíduos no mesmo campo?

CARNEGIE: Posso responder melhor a essa pergunta dizendo que eu, pessoalmente, sei pouco dos requisitos técnicos da manufatura e comercialização do aço. Não é essencial que eu tenha esse conhecimento. É aqui que o MasterMind se torna útil. Eu me cerquei de vários grupos de homens cuja educação, experiência e capacidade combinadas me dão pleno benefício de tudo que se sabe, até o presente momento, sobre a produção e o comércio do aço. Meu trabalho é manter esses homens inspirados com o desejo de fazer o melhor trabalho possível. Meu método de inspiração pode ser facilmente associado aos nove princípios básicos, e em especial ao motivo do desejo por ganho financeiro. Tenho um sistema de compensação que permite que cada membro do meu grupo de MasterMind determine a própria recompensa financeira. Mas o sistema é arranjado de tal forma que, além do teto salarial a que cada homem tem direito, o indivíduo precisa provar de maneira definida que fez por merecer mais do que esse valor antes de recebê-lo.

Esse sistema incentiva a iniciativa pessoal, a imaginação e o entusiasmo, e leva ao contínuo desenvolvimento e crescimento pessoal. Dentro desse sistema, paguei a homens como Charlie Schwab até um milhão de dólares por ano, muito acima do teto da escala salarial. Foi esse sistema que inspirou Schwab a desenvolver a própria iniciativa individual, a ponto de ter se tornado o maior espírito mobilizador na organização da grande United States Steel Corporation. Junto com essa iniciativa, ele desenvolveu grande capacidade de liderança.

Lembre-se, meu maior objetivo na vida é o desenvolvimento humano, não só a mera acumulação de dinheiro. O dinheiro que tenho é uma recompensa natural pelos esforços que dediquei ao desenvolvimento humano.

Sei que algumas pessoas me acusam de ser louco por dinheiro, mas quem diz isso nada sabe sobre meu objetivo principal. A melhor evidência da verdadeira natureza de meu objetivo é o fato de estar doando meu dinheiro tão rapidamente quanto posso sem prejudicar as pessoas, e a maior porção de minhas riquezas, que consiste do conhecimento que obtive na arte de desenvolver os homens, estou oferecendo ao mundo, por meio de seu esforço, na forma de uma filosofia prática de realização individual. Essa é a única maneira pela qual a riqueza pode ser distribuída com justiça e de maneira permanente, porque a verdadeira riqueza é produto da mente, uma forma de riqueza para a qual toda coisa material gravita.

HILL: Você diz que todo sucesso de proporções notáveis é resultado da compreensão e aplicação do princípio do MasterMind. Não há exceções para essa regra? Um homem não pode se tornar um grande artista, ou um grande pregador, ou um vendedor de sucesso, sem o uso do princípio do MasterMind?

CARNEGIE: A resposta para sua pergunta, da maneira como a colocou, é não! Um homem pode se tornar um artista, ou um pregador, ou um vendedor sem a aplicação direta do princípio do MasterMind, mas não pode se tornar grande nessas áreas de atuação sem a ajuda desse princípio. Uma Providência onisciente organizou de tal forma o mecanismo da mente que nenhuma é completa sozinha. Riqueza da mente, em seu sentido mais pleno, vem da aliança harmoniosa de duas ou mais cabeças trabalhando pela realização de algum objetivo definido.

Por exemplo, o MasterMind que deu a essa nação o nascimento de sua liberdade consistiu em um grupo que nasceu da aliança harmoniosa de 56 homens que assinaram a Declaração de Independência. Por trás daquele MasterMind havia a definição de objetivo que hoje conhecemos como espírito americano de autodeterminação, que serviu, em parte, como poder motivador no desenvolvimento de nossa grande indústria americana.

Uma só mente isolada, por maior que pudesse ser, não teria sido capaz de dar a essa nação a visão, a iniciativa, a autossuficiência em que seus líderes em todas as áreas se inspiraram.

Há indústrias de um homem só, e comércios de um homem só, mas não são grandes; e há indivíduos que vivem a vida toda sem se aliar em espírito de harmonia com outras mentes, mas não são grandes, e suas realizações são escassas.

Lembre-se de que a você foi designada a responsabilidade de dar ao mundo uma filosofia completa de realização individual; portanto, você deve incluir na filosofia os fatos que capacitam o indivíduo a superar a mediocridade. O mais importante desses fatores é a compreensão do poder que está disponível para quem associa seu poder mental ao de outra pessoa, dando a si mesmo, dessa maneira, todo o benefício de uma força intangível que nenhuma mente isolada jamais pode experimentar.

Vivemos em uma grande nação. É grande por causa do poder e da visão das forças combinadas da mente de muitas pessoas que, trabalhando em harmonia sob nossa forma de governo, permitem que a indústria, o sistema bancário, a agricultura e a iniciativa privada em todas as áreas formem uma frente sólida. Nossa forma de governo é um excelente exemplo de MasterMind, combinando como faz o harmonioso esforço cooperativo das unidades de governo estaduais e federal. Dentro dessa aliança amistosa, crescemos e prosperamos como nenhuma outra nação conhecida pela civilização. Negócios bem-sucedidos alcançaram o sucesso porque seus líderes adotam e usam esse mesmo princípio de aliança amistosa entre aqueles que administram o negócio.

Venha até a janela e vou mostrar, bem ali na área dos trilhos da ferrovia, um bom exemplo de MasterMind em ação no transporte. Ali você vê um trem de carga sendo preparado para sua viagem. O trem estará sob o comando de uma equipe de homens que coordenam seus esforços em espírito de harmonia. O condutor é o líder da equipe. Ele pode levar o trem ao seu destino só porque todos os outros membros da equipe reconhecem e respeitam sua autoridade e cumprem suas instruções em espírito de harmonia. O que acha que aconteceria com aquele trem se o engenheiro negligenciasse ou se negasse a obedecer aos sinais do condutor?

HILL: Poderia haver um acidente que custaria a vida de toda a equipe.

CARNEGIE: Exatamente! Bem, administrar um negócio de sucesso pede a aplicação do mesmo princípio de MasterMind essencial à operação de um trem. Quando há falta de harmonia entre os que estão envolvidos na administração de um negócio, a vara de falências está logo ali. Está acompanhando a descrição? Quero que a entenda, porque ela trata da essência de toda realização bem-sucedida, em todos os campos da iniciativa humana.

HILL: Entendo o princípio do MasterMind, embora nunca tenha pensado nele como a única fonte de suas estupendas realizações na indústria do aço e base de sua imensa fortuna.

CARNEGIE: Ah, não! Ele não é a única fonte de minhas realizações. Outros princípios estiveram envolvidos na acumulação do dinheiro e na construção de uma grande indústria do aço, mas foram menos importantes que o MasterMind. O princípio que vem depois do MasterMind em importância é a definição de objetivo. Esses dois princípios combinados produziram o que o mundo chama de uma indústria bem-sucedida. Nenhum deles sozinho teria garantido sucesso.

Olhe para aqueles coitados ali no pátio da ferrovia, e vai ver um exemplo perfeito de um grupo de homens sem definição de objetivo ou MasterMind. Também é um exemplo de falta de objetivo e coordenação de esforços. Se aqueles homens pensassem juntos e escolhessem um objetivo definido, e adotassem um plano definido para realizar seu propósito, poderiam ser a equipe que comanda aquele trem de carga, não um grupo de sem-teto desafortunado e castigado pela pobreza. Entende o que quero dizer?

HILL: Sim, senhor; mas como é possível que nunca tenham sido ensinados a esses homens os princípios da realização como agora os descreve para mim? Por que eles não descobriram o poder do MasterMind, como você descobriu?

CARNEGIE: Eu não descobri o princípio do MasterMind. Eu me apropriei dele; tirei da Bíblia, literalmente.

HILL: Da Bíblia? Ora, nunca soube que a Bíblia ensinava a filosofia prática da realização. Em que parte dela encontrou o princípio do MasterMind?

CARNEGIE: No Novo Testamento, na história do Cristo e seus Doze Apóstolos. Você lembra a história, é claro. Até onde consegui aprender, Cristo foi a primeira pessoa na história a fazer uso do MasterMind. Lembre-se do poder incomum de Cristo e do poder de seus discípulos depois de Ele ter sido crucificado. Minha teoria é que o poder de Cristo surgiu de Seu relacionamento com Deus, e o poder de Seus discípulos surgiu da aliança harmoniosa de todos com Ele. Acredito que Ele estabeleceu uma grande verdade quando disse aos Seus seguidores que poderiam realizar até coisas maiores, pois Ele tinha descoberto que a fusão de duas ou mais mentes em espírito de harmonia com um propósito definido em vista põe o homem em contato com a Mente Universal, que é Deus. Chamo sua atenção para o que aconteceu quando Judas Iscariotes traiu a Cristo. A quebra da ligação de harmonia levou o Mestre à suprema catástrofe de Sua vida, e em uma metáfora prática, sugiro que, quando o elo de harmonia se rompe, seja por qual motivo for, entre os membros do grupo de MasterMind que opera um negócio, ou uma casa, a ruína está logo ali na esquina!

Se tivesse que declarar seu principal objetivo na vida em uma frase, que resposta daria?

HILL: O MasterMind pode ter benefício prático além dos relacionamentos de negócios?

CARNEGIE: Ah, sim! Pode ser de uso prático em relação a qualquer forma de relacionamento humano em que seja necessária a cooperação. Veja uma casa, por exemplo, observe o que acontece quando um homem e sua esposa e outros membros da família unem corações e mentes e trabalham pelo bem comum da família inteira. Nessa casa você encontra felicidade, contentamento e segurança financeira. Pobreza e miséria são atraídas por aqueles que deixam de trabalhar juntos em harmonia.

É comum ouvir dizer que a esposa pode construir ou destruir o homem!

Bem, é verdade, e vou explicar o porquê. A aliança entre um homem e uma mulher pelo casamento cria a mais perfeita forma conhecida de MasterMind, desde que a aliança seja de amor, compreensão solidária, unificação de objetivo e completa harmonia. Evidência disso é que se pode ver a influência da mulher como a principal força motivadora na vida de praticamente todos os homens de grandes realizações em todos os tempos. Mas se mal-entendidos e desacordos entram nessa aliança entre um homem e uma mulher, ele se torna praticamente impotente para usar sua força de vontade. A esposa de um homem pode construí-lo ou destruí-lo porque sua mente e a dele se tornam fortemente ligadas no casamento, de forma que as virtudes dela se tornam as dele, e seus defeitos também.

Afortunado é o homem que se casa com uma mulher que dedica a vida a fortalecer seu poder mental fundindo-o ao dela, em um espírito de compreensão solidária e harmonia. Esse tipo de esposa nunca “destrói” um homem, mas o ajuda a alcançar maiores realizações do que teria sido possível sem sua ajuda.

HILL: Se entendi bem, uma aplicação apropriada do princípio do MasterMind dá ao indivíduo o benefício da educação e da experiência de outras pessoas, mas vai muito além disso e ajuda o indivíduo a entrar em contato e usar as forças espirituais a ele disponíveis. É essa sua compreensão do princípio?

CARNEGIE: É exatamente assim que o entendo. Um grande psicólogo disse uma vez que o contato entre duas mentes sempre promove o nascimento de uma terceira e intangível mente de poder maior que o das outras duas. Se essa terceira mente se torna um benefício ou um prejuízo para uma ou as duas mentes que entraram em contato é algo que depende completamente da atitude mental de cada uma. Se a atitude das duas mentes é harmoniosa, solidária e cooperativa, a terceira mente nascida do contato pode ser benéfica a ambas. Se a atitude de uma ou das mentes em contato for antagônica ou controversa, hostil, a terceira mente nascida do contato será danosa a ambas.

O princípio do MasterMind não é criado pelo homem. É uma parte do grande sistema da lei natural, e é tão imutável quanto a lei da gravidade, que mantém estrelas e planetas em seus lugares, e igualmente definida em todas as fases de sua operação. Não somos capazes de influenciar essa lei, mas podemos entendê-la e nos adaptar a ela de forma que nos traga grandes benefícios, independentemente de quem somos e da nossa vocação.

Dois homens muito humildes que conheci encontraram um uso prático para o MasterMind. Um deles é cego, e o outro tem uma limitação física, perdeu o uso das pernas. Um dia, esses dois homens se conheceram e começaram a falar de suas deficiências.

O cego disse que enfrentava dificuldades para se locomover, as pessoas pisavam em seus pés e os automóveis passavam muito perto. "Você não está pior que eu", disse o homem que não andava. "Vejo os carros, mas não consigo sair da frente deles com a velocidade necessária." O homem cego se empertigou com um sorriso largo no rosto e anunciou que tinha uma ideia, algo que poderia ser útil para os dois. "Tenho um bom par de pernas", disse, "e você tem um par de olhos saudáveis. Você sobe nas minhas costas e usa seus olhos, enquanto eu forneço as pernas, e juntos vamos nos mover mais depressa e com muito mais segurança."

No sentido figurado, todo mundo é um pouco cego ou deficiente em sua necessidade de alguma forma de cooperação com outras pessoas. O cego só precisava usar os olhos do outro homem. Ao administrar meu negócio, eu precisava da educação e da experiência de um grande grupo de homens que entendessem os requisitos técnicos da produção e comercialização de aço. Em seu trabalho de organização de todas as causas de sucesso e das principais causas de fracasso em uma nova filosofia prática de realização individual, você vai precisar da cooperação de centenas de homens que alcançaram o sucesso em seus campos de atuação, e da ajuda de muitos milhares que tentaram e fracassaram. Por causa da natureza de seu empreendimento, você vai precisar entender e aplicar o princípio do MasterMind por um longo período de anos. Sem a ajuda desse princípio você não vai conseguir completar o trabalho que está começando, porque não existe uma só pessoa viva *capaz de fornecer a você todas as principais causas de sucesso e fracasso.*

HILL: A partir de sua análise do princípio do MasterMind, tenho a impressão de que homens que foram privados de educação em seus primeiros anos não precisam limitar sua ambição por isso, porque é possível e praticável, para eles, usar a educação de outras pessoas. Também tive a impressão, a partir do que disse, de que nenhum homem adquire tanta educação que possa conquistar sucesso digno de nota sem a ajuda de outras mentes. É isso?

CARNEGIE: As duas afirmações estão corretas. Falta de escolaridade não é desculpa válida para fracasso, e uma escolaridade exaustiva não é garantia de sucesso. Alguém já disse que conhecimento é poder, mas disse apenas a metade da verdade, porque conhecimento só é poder em potencial. *Pode se tornar poder apenas quando é organizado e expressado em termos de ação definida!* Muitos homens jovens fizeram a eles mesmos grande dano presumindo, depois de se formarem na faculdade, que o conhecimento sobre assuntos acadêmicos seria suficiente para assegurar bons empregos. Há uma grande diferença entre ter um estoque abundante de conhecimento e ser educado. A diferença se tornará aparente se você examinar a raiz latina da qual deriva a palavra educar. A palavra *educar* vem do latim *educare*, que significa extrair, desenvolver a partir do interior, fazer crescer pelo uso. *Não significa adquirir e estocar conhecimento!*

Sucesso é o poder de conseguir o que se quer na vida, sem violar os direitos dos outros. Observe que usei a palavra PODER! Conhecimento não é poder, *mas a apropriação e uso do conhecimento e da experiência de outros homens para a realização de algum objetivo definido é poder*; mais ainda, é poder da mais benéfica ordem.

O homem que aplica o princípio do MasterMind com o propósito de se valer da mente de outros homens começa, normalmente, assumindo por completo o poder sobre a própria mente! Queria enfatizar a importância da remoção pelo indivíduo das limitações autoimpostas que muita gente cria na própria cabeça.

Em um país como os Estados Unidos, onde há abundância de todas as formas de riquezas, onde cada homem é livre para escolher a própria ocupação e viver sua vida como quiser, não há motivo para estabelecer limites baixos às próprias realizações, nem se contentar com menos que todas as posses materiais que se deseja ou de que se necessita.

Em nosso país se premia a iniciativa individual, imaginação e definição de objetivo, e elas são auxiliadas pelo fácil acesso às coisas materiais que cada homem requer para realizar sua ideia de sucesso. No país, um homem pode nascer na pobreza, mas não tem que passar a vida inteira nela. Ele pode ser analfabeto, mas não tem que se manter nessa condição. Mas aqui, como em qualquer parte do mundo, *nem todas as oportunidades beneficiam o homem que negligencia ou se nega a tomar posse de seu poder mental* e usá-lo para o próprio progresso.

Pelo bem da ênfase, repito que nenhum homem pode se apoderar por completo do poder da própria mente sem associá-la, pelo princípio do MasterMind, à mente de outras pessoas para a realização de um objetivo definido.

HILL: Da mesma forma que me escolheu para dar ao mundo uma filosofia prática de realização individual, pode delinear para mim passo a passo um plano completo que se deve seguir na organização de um grupo de MasterMind? Esse procedimento não está totalmente claro para mim; pode ser ainda menos claro para a pessoa que não tiver experiência no uso do princípio do MasterMind.

CARNEGIE: O procedimento no caso de cada indivíduo é ligeiramente diferente, dependendo da educação, da experiência, da personalidade e da atitude mental da pessoa que começa a organizar um grupo de MasterMind, e do propósito para o qual o organiza. Mas em todos os casos, há certos fundamentos a se observar, e alguns dos mais importantes são os seguintes:

» **DEFINIÇÃO DE OBJETIVO.** O ponto de partida em toda realização é o conhecimento definido do que se quer. Sob essa classificação, é preciso seguir a fórmula proposta no capítulo 1, seguindo todos os detalhes daquelas instruções ao pé da letra.

» **ESCOLHA DOS MEMBROS DO GRUPO DE MASTERMIND.** Toda pessoa com quem um indivíduo se alia sob o princípio do MasterMind *deve ser completamente solidária ao objeto da aliança, e deve ser capaz de contribuir com alguma coisa definida para a realização desse objetivo.* A contribuição pode ser a educação, experiência ou, como acontece em muitos casos, pode consistir no uso do bom nome que ele construiu em seu relacionamento com o público, popularmente conhecido como "contatos". Muitos bancos e outras corporações adicionam a seus grupos de MasterMind homens caros que não têm nenhum propósito além de fornecer à corporação o uso do *bom nome e da influência pública que têm.*

» **MOTIVO**. Ninguém tem o direito, e raramente alguém tem a capacidade, de induzir outras pessoas a servirem como membros de seu grupo de MasterMind sem dar algo em troca pelo serviço recebido. O motivo pode ser recompensa financeira, ou alguma forma de retribuição de favores, mas tem que ser alguma coisa que seja de igual ou maior valor que o serviço esperado. Em minha aliança de MasterMind, como afirmei, o motivo usado para induzir total e harmoniosa cooperação de alguns membros do grupo foi recompensa financeira. Ajudei alguns membros da minha aliança – aqueles que tinham a capacidade para isso – a ganhar muito mais dinheiro do que teriam ganhado por qualquer esforço independente de mim. Creio que não é exagero dizer que cada membro do meu grupo de MasterMind fez um uso mais prático e lucrativo de sua habilidade individual, aliado a mim, do que teria feito trabalhando sozinho. Não é demais enfatizar que o homem que tenta construir uma aliança de MasterMind sem determinar o que cada membro dessa aliança *lucra em proporção a seu valor na aliança está fadado ao fracasso certo.*

» **HARMONIA**. Harmonia completa deve prevalecer entre todos os membros de uma aliança de MasterMind para garantir o sucesso. Não pode haver deslealdades por parte de nenhum membro do grupo. Cada membro da aliança deve subordinar opiniões pessoais e desejos de progresso pessoal ao pleno benefício do grupo como um todo *pensando apenas em termos da realização bem-sucedida do objeto da aliança.* Ao escolher os indivíduos que serão aliados em um grupo de MasterMind, é preciso considerar primeiro se o indivíduo pode e vai trabalhar pelo bem do grupo. Qualquer membro incapaz disso deve, assim que for descoberta a deficiência, ser substituído por alguém capaz disso. *Não pode haver concessão nesse ponto,* um fato que sempre excluirá automaticamente parentes e amigos mais próximos que, infelizmente, não conseguem subordinar o ego a nenhum propósito.

» **AÇÃO**. Uma vez formado, o grupo de MasterMind deve se tornar e permanecer ativo para ser eficiente. O grupo precisa seguir um plano definido, em um tempo definido, para um fim definido. Indecisão, inatividade ou demora destroem a utilidade do grupo todo. Mais ainda, tem um velho ditado que diz que a melhor maneira de evitar uma mula de dar coices é mantê-la tão ocupada puxando a carga que ela não tenha tempo nem vontade de escoicear. Pode-se dizer o mesmo dos homens. Vi organizações dedicadas a vendas chegarem ao fim porque os administradores permitiram que seus homens agissem como quisessem, sem dar a eles cotas definidas a cumprir. A falta de um plano definido para organizar e usar o tempo é o maior mal de todos os vendedores que trabalham por comissão, como os vendedores de seguro de vida. Sucesso em qualquer empreendimento pede TRABALHO definido, bem-organizado e contínuo! Ainda não foi inventado nada que tome o lugar do TRABALHO! Nem todos os cérebros do mundo são suficientes para capacitar um homem a alcançar grande sucesso sem TRABALHO.

» **LIDERANÇA**. Não imagine que a simples seleção de um grupo de homens que decide trabalhar junto em espírito de harmonia, pela realização de um objetivo definido, é suficiente para garantir o sucesso de seus esforços. O líder que organiza o grupo precisa realmente liderar. Com relação ao trabalho, ele deve ser o primeiro a chegar ao local de trabalho e o último a ir embora; mais, ele deve dar aos associados um bom exemplo trabalhando tanto quanto eles ou mais. O maior de todos os "chefes" é o homem que mais se aproxima de ser indispensável, não o que tem a última palavra quando decisões são tomadas e planos são feitos. O lema de todo líder deveria ser: "O maior entre vocês deve ser o servo de todos".

» **ATITUDE MENTAL.** Em uma aliança de MasterMind, como em todos os relacionamentos humanos, o fator que, mais que todos os outros, determina a extensão e a natureza da cooperação que se obtém de outras pessoas é sua ATITUDE MENTAL. Posso dizer sinceramente que, no relacionamento com meu grupo de MasterMind, nunca houve um tempo em que eu não tenha esperado que todos os homens da aliança tirassem dela a maior medida possível de benefício pessoal; e nunca houve um tempo em que não tentei, com todos os recursos da habilidade que tinha, desenvolver em cada membro de minha aliança todo o potencial de suas capacidades. Acredito que essa atitude de minha parte tenha sido o fator mais forte no desenvolvimento de homens como Charlie Schwab, que ganhavam até um milhão de dólares por ano além de seus salários regulares. Eu poderia ter tido os serviços de homens como Schwab sem ser compelido a pagar bônus tão elevados por realizações extraordinárias, mas teria me privado dos benefícios desse tipo de serviço, porque teria destruído o motivo que os prontificou a prestá-lo.

Uma das coisas mais bonitas na Terra, e das mais inspiradoras, é um grupo de homens trabalhando juntos em espírito de perfeita harmonia, cada um pensando apenas em termos do que pode fazer em benefício do grupo. Foi esse espírito que deu poderes quase sobre-humanos aos maltrapilhos, desnutridos e pouco agasalhados exércitos de George Washington na luta de proporções desiguais contra soldados mais bem equipados. Esses homens lutavam por uma causa comum, não só pelo *engrandecimento* pessoal. Onde você vir um empregador e seus empregados trabalhando juntos em espírito de cooperação mútua, estará vendo uma organização de sucesso.

Um dos maiores benefícios do treinamento atlético é que ele ensina os homens a trabalharem em equipe em espírito de harmonia! É uma pena que, ao deixar o ensino médio, os homens nem sempre levem para seu emprego esse mesmo espírito de trabalho em equipe. Muitas vezes desejei poder organizar todos os trabalhadores das minhas siderúrgicas em um grupo gigantesco de duplas que dedicaria uma hora por dia à oposição amistosa, por meio de alguma forma de prática esportiva que os inspiraria com o espírito de trabalho em equipe. Isso os auxiliaria a superar intolerância, inveja e egoísmo, e os tornaria melhores em outros aspectos que os fariam mais valiosos para a empresa e para eles mesmos dentro e fora do emprego. A vida é menos pesada para o homem que tem bom espírito esportivo em sua formação. Portanto, que o espírito esportivo seja um fator importante em cada empreendimento baseado no princípio do MasterMind, *e que ele comece com o homem que organize o grupo*. Os outros extrairão o espírito desse exemplo.

» **RELACIONAMENTO CONFIDENCIAL.** O relacionamento que existe entre dois homens dentro do princípio do MasterMind deve ser confidencial. O propósito da aliança nunca deve ser discutido fora do grupo, a menos que o objeto dessa aliança seja prestar algum serviço público. Há pessoas que sentem prazer em colocar obstáculos no caminho de quem trabalha pela realização pessoal. Essas pessoas não poderão causar grande prejuízo se não entenderem qual é o propósito da aliança de MasterMind de alguém. A melhor maneira de dizer ao mundo o que está fazendo é mostrar ao mundo o que já fez. Publicidade, imprensa e coisas do tipo são importantes, às vezes, mas podem causar grande dano se divulgarem a natureza de planos ainda não realizados.

Tome cuidado com aquilo que quer de verdade, porque pode acabar conseguindo.

Ouvi dizer que todo grande homem – e são vários deles em minha geração – sempre tem metas e objetivos na cabeça que só ele e Deus conhecem. Talvez você não tenha a intenção de ser grande, mas pode se beneficiar muito se mantiver em mente essa afirmação e evitar anunciar seus objetivos e planos antes de realizá-los. É sempre mais satisfatório dizer "alcancei meu objetivo" do que "vou fazer isso e aquilo, se e quando conseguir". A declaração funciona muito melhor no passado do que no futuro.

É espantoso perceber até onde alguns homens vão para revelar os segredos vitais de seu ramo de negócios, a quem quiser ouvi-los, simplesmente pelo amor que têm pela expressão pessoal inútil. Nesse sentido, empregados frequentemente revelam importantes segredos de seus empregadores no comércio e na indústria. O desejo por autoexpressão é um dos nove motivos básicos que levam o homem à ação, mas pode se tornar um hábito perigoso se não for usado com discrição. As pessoas mais inteligentes que atendem a esse desejo de autoexpressão geralmente o fazem formulando perguntas, em vez de responder às perguntas dos outros. Esse é um jeito de dar plena satisfação ao desejo de autoexpressão sem se prejudicar.

HILL: Pode descrever qual acredita ser a mais importante aliança de MasterMind nos Estados Unidos e dar uma ideia de como ela funciona?

CARNEGIE: A aliança de MasterMind mais importante na América, ou no mundo inteiro, na verdade, é aquela entre os estados de nosso país. Dessa aliança vem a liberdade de que a América tanto se orgulha. *A força da aliança está no fato de ser voluntária e apoiada pelo povo em espírito de harmonia.* A aliança entre os Estados criou uma variedade maior de oportunidades para o exercício da iniciativa individual do que aquela existente em qualquer outro lugar do mundo todo. Mais ainda, ela criou o poder necessário para defender seu povo e o sistema no qual ele funciona contra todos que possam nos invejar ou desejar interferir em nossos privilégios.

Nosso sistema inteiro (inclusive forma de governo, plano industrial ou instituições bancárias, além do sistema de seguro de vida) foi projetado e é mantido como um meio favorável para o apoio à iniciativa privada e como um incentivo à iniciativa pessoal. É o maior sistema do mundo, porque é projetado e mantido de tal forma que proporciona os mais simples e melhores de todos os meios possíveis para a livre expressão do esforço individual com base nos nove motivos básicos.

O MasterMind sob o qual nosso país é administrado é tão flexível e democrático que pode ser modificado, trocado ou melhorado de forma a atender às necessidades dos tempos em transformação. Funciona como um padrão confiável pelo qual indivíduos ou corporações que queiram adotar o MasterMind possam ser orientados de forma segura. Quando nossa aliança de MasterMind se torna inadequada para nossas necessidades, seja em que aspecto for, as pessoas que a formaram podem melhorá-la pelo processo simples do voto e das emendas à nossa Constituição.

Se todos os empregadores e empregados se relacionassem entre si sob um plano de MasterMind semelhante àquele pelo qual nosso país é administrado, não haveria ocasião para desentendimento sério entre eles. Além disso, empregador e empregados receberiam mais benefícios por seus esforços conjuntos. Poderia haver, e haveria, uma democracia pura como base de todos os relacionamentos entre empregados e empregadores, como há uma democracia pura em que se baseia o relacionamento entre os estados da América.

O princípio operante da aliança de MasterMind pela qual nosso país é administrado é simples. Consiste em um triunvirato conhecido como poderes Executivo, Judiciário e Legislativo, todos funcionando em espírito de harmonia, em resposta direta à vontade do povo. O sistema é usado na administração dos estados individuais, bem como na administração de toda aliança dos estados conhecida como governo federal. O sistema pode ser mudado pela vontade do povo, e os representantes públicos que administram o sistema podem, com poucas e raras exceções, ser retirados sem muita demora. Ainda não foi encontrado sistema melhor de relacionamento humano, e não há perspectiva de sistema melhor ser encontrado no futuro próximo. Talvez jamais se encontre sistema melhor que o nosso, e nenhum outro será necessário enquanto nosso sistema atual for aplicado como seus fundadores pretendiam que fosse, para o maior benefício possível de todos, sem privilégios especiais para ninguém.

HILL: Consegue pensar em melhorias que o povo americano poderia fazer em sua presente forma de governo?

CARNEGIE: Não, mas posso citar uma grande melhoria que poderiam fazer no método de administrar seu governo, e seria pela aprovação de uma lei que tornasse obrigatório o voto de todos os eleitores qualificados nas eleições nacionais e locais, sob pena de multas pesadas para quem deixar de votar. Se nossa forma de governo deixar de ser adequada, será pela negligência do povo em votar. Já consigo ver grandes abusos do poder público devido à falta de preocupação do povo com a eleição de homens confiáveis. Essa forma de negligência é um convite aberto a homens desonestos para tomarem as rédeas do governo, como alguns já fizeram em cidades como Nova York e Chicago, onde faltam interesse individual e orgulho cívico.

Consigo pensar em outra melhoria que pode ser feita em relação ao nosso método de escolha de representantes, e seria um sistema pelo qual o histórico de todos os candidatos a cargos públicos fosse publicado, de forma que todos os eleitores pudessem julgar a adequação de um candidato ao cargo. Em nosso sistema atual, a única publicidade que os eleitores veem em relação ao registro pessoal de um candidato é a que os próprios candidatos divulgam sobre eles mesmos ou seus oponentes, e isso *não é muito tranquilizador em muitos casos.* Uma terceira melhoria a ser feita para ajudar as pessoas a escolherem com sabedoria seus candidatos para os cargos públicos seria um treinamento, um curso em que as pessoas aprenderiam, em escolas públicas, a escolher candidatos mais adequados para servi-las.

Empresários bem-sucedidos não contratam pessoas para cargos de responsabilidade sem verificar o histórico pessoal do candidato. Estudam sua capacidade para o emprego oferecido e também investigam seu caráter. O mesmo procedimento deveria ser adotado para a escolha de candidatos a cargos públicos.

HILL: Você fez uma referência breve à aplicação do MasterMind como um meio de administração bem-sucedida da casa. Poderia se aprofundar nesse tema e explicar como esse princípio pode ser aplicado na administração da casa?

CARNEGIE: Fico feliz por você ter pensado nisso, porque a experiência me ensinou que o relacionamento doméstico de um homem tem importante influência em suas realizações comerciais ou profissionais. Quero que lembre que meus comentários sobre esse assunto serão gerais, sem nenhuma intenção de que sirvam de guia a todos os casos.

A aliança entre um homem e uma mulher pelo casamento cria um relacionamento que toca profundamente a natureza espiritual de ambas as partes. Por esse motivo, o casamento permite a mais favorável de todas as alianças humanas para o uso efetivo do MasterMind.

No casamento, como em todos os outros relacionamentos, há certas precauções que se pode tomar para garantir a operação bem--sucedida do MasterMind. A mais importante dessas medidas é A ESCOLHA DO PARCEIRO. Um casamento bem-sucedido começa com a escolha inteligente de um parceiro. Em primeiro lugar, por mais que um homem escolha (ou pense escolher), ele deve testar a potencial parceira no casamento por meio de uma série de conversas muito francas e íntimas, cobrindo ao menos os pontos fundamentais de uma relação matrimonial.

Deve dizer a ela como pretende ganhar a vida e ter toda a certeza de que ela concorda plenamente, tanto com a ocupação escolhida quanto com os métodos para segui-la. É muito bom falar de amor e romance, do lado estético da vida, quando um homem está se anunciando para a mulher que escolheu; mas ele não deve esquecer que o casamento tem um lado muito prosaico e prático, e esse lado começa a aparecer mais ou menos quando a lua de mel começa a esfriar. Então, a coisa mais sensata a fazer é antecipar as realidades práticas do casamento e chegar a um entendimento sobre elas com a esposa em potencial bem antes de tais realidades chegarem.

Vai ser uma ajuda valiosa para um homem se sua esposa concordar com sua ocupação e seu método de ganhar a vida a ponto de seu interesse poder ser chamado de entusiasmado; mas o interesse mínimo nesse fundamento tão importante da parceria do casamento deve ser uma aprovação sem reservas de sua ocupação. Deixar de ter uma compreensão sobre esse importante assunto destruiu a possibilidade de aplicação do MasterMind em muitos casamentos. Se a esposa de um homem está mais interessada no jogo de *bridge* do que na fonte de renda do marido, é melhor ele procurar sua cooperação de MasterMind em outro lugar. Às vezes é exatamente isso que um homem faz. *Que as esposas se lembrem disso!* Se uma mulher é realmente esperta, ela acata essa sugestão e a põe em prática até seu clímax lógico, com a ajuda da própria imaginação.

Observei vários casos em que um homem e sua esposa exercem a mesma profissão, ou têm a mesma ocupação, e trabalham juntos para a realização de um objetivo comum. Nessas circunstâncias, sempre fiquei impressionado com o fato de essa associação próxima na profissão levar também a um relacionamento próximo em seus assuntos sociais, o que deixava pouco tempo extra para um dos dois ter algum interesse em qualquer coisa ou alguém que não dissesse respeito a ambos.

Tem outra vantagem de vital importância para um homem e sua esposa terem um interesse mútuo na fonte de seu rendimento, e é a compreensão das duas partes em relação aos gastos pessoais e domésticos. Se a esposa de um homem sabe exatamente como ele ganha seu dinheiro, e quanto ganha, e se for uma parceira fiel, ela vai ajustar os gastos domésticos e pessoais de acordo com a renda; mais ainda, o fará com alegria. Soube de vários casamentos que acabaram porque a esposa fazia exigências financeiras que o marido não podia atender, e soube de vários maridos induzidos à desonestidade no esforço de satisfazer a gastança da esposa.

Até agora, falei em benefício do homem que ainda não escolheu uma parceira de vida para o casamento. "Mas e o homem que já é casado?", alguns podem perguntar. "O que ele pode fazer se escolheu uma esposa que não se interessa por sua ocupação ou que talvez não tenha interesses comuns com ele em nenhum assunto? Não há remédio a oferecer para esse homem?"

Sim, há um remédio para a maioria dos casos desse tipo, e ele consiste em anunciar novamente o trabalho do marido com o objetivo de induzir a esposa a começar tudo de novo, dentro de um plano que garanta cooperação mais próxima entre eles. Há poucos casamentos que não precisam de um plano novo e melhorado de relacionamento em intervalos frequentes para garantir todos os benefícios para as duas partes e os filhos, se existirem.

Sucesso no casamento pede vigilância contínua das duas partes, com o objetivo de evitar mal-entendidos por meio de um relacionamento cuidadosamente planejado que afeta todos os membros da família. Seria bom dedicar um tempo, uma hora, por exemplo, para uma reunião de MasterMind confidencial uma vez por semana, pelo menos, durante a qual chegariam a um acordo em relação a todos os fatores vitais de seu relacionamento, dentro e fora da associação doméstica. Contato contínuo entre os homens envolvidos na administração de uma empresa é essencial para a harmonia e o esforço cooperativo. Não é menos essencial entre um homem e sua esposa.

A Marinha dos Estados Unidos segue uma regra que pode ser adotada em todos os lares. Todos os navios de uma frota devem se comunicar com a nau capitânia de hora em hora, tendo ou não alguma coisa a reportar. O contato é muito importante! E é tão importante na administração de uma casa quanto na operação da Marinha dos Estados Unidos. Dar as coisas por certas, sem acordo mútuo entre um homem e sua esposa, é o começo da perda de interesse de um pelo outro. O princípio do MasterMind não pode ser aplicado de maneira bem-sucedida no casamento sem um programa deliberado, cuidadosamente planejado para sua aplicação. Uma discussão ocasional dos assuntos do casamento não é suficiente. Deve haver um período estabelecido reservado para os relacionamentos do MasterMind, e essa porção do programa do casamento deve ser respeitada e praticada com a mesma cortesia, a mesma definição de objetivo e a mesma formalidade observadas por homens de negócios que usam o MasterMind para a administração de seus assuntos.

Feliz daqueles que, casados, seguem esse conselho e o utilizam plenamente na administração de sua aliança, porque certamente vão descobrir nela uma abordagem para a perfeição no casamento que nunca poderia ser alcançada apenas pela atração física ou emoção do sexo.

Uma parceria sólida no casamento deve incluir compreensão e harmonia de propósito em conexão com a fonte de renda que mantém a casa. A renda deve ser organizada de forma que o homem e sua esposa tenham igual acesso a ela. O homem que obriga a esposa a vasculhar seus bolsos depois que ele vai dormir para pegar dinheiro pequeno que quer usar para seus gastos pessoais nunca terá seu respeito, nem poderá contar com sua ajuda como aliada de MasterMind.

Uma parceria no casamento deve incluir um interesse comum e propriedade comum de todos os bens materiais dos dois parceiros! O homem que acredita poder guardar para si seus assuntos comerciais, sem confiar plenamente na esposa, precisa reconhecer que, com essa política, não pode aplicar aos assuntos de sua casa o princípio do MasterMind. É claro, há casos em que a esposa de um homem, por falta de interesse nos assuntos do marido, ou por uma disposição irritável, o obriga a guardar tudo para si. Nesse caso, o único remédio é o do renascimento dos interesses mútuos que os aproximaram e levaram ao casamento. Aqui é preciso lembrar que, se esse renascimento for retardado ou negligenciado por muito tempo, a missão pode ser difícil.

HILL: Sua impressão, então, parece indicar que acredita que o futuro da América trará tantas oportunidades quantas lhe foram oferecidas no passado. É isso?

CARNEGIE: Você entendeu minha crença! O futuro da América trará oportunidades muito maiores do que as que o mundo jamais viu. Nosso destino é nos tornarmos o maior centro industrial do mundo. O desenvolvimento da indústria do aço vai dar origem a muitas outras indústrias relacionadas. Móveis e utensílios domésticos serão feitos de aço, e ele tomará o lugar da madeira em mil outros exemplos. Vai nos dar arranha-céus mais altos que qualquer coisa que o homem jamais construiu em toda a história do mundo. Vai substituir a madeira na construção de casas. Vai unir as margens dos rios mais largos com pontes seguras e indestrutíveis. Vai nos permitir trocar cavalo e carroças por automóveis velozes, e lembre, só a indústria automobilística vai criar oportunidades para milhares de homens de visão.

E não esqueça que todo esse avanço do estilo de vida americano vai acontecer por meio da aliança de MasterMind dos homens que são líderes da indústria e das finanças na América. Bilhões de dólares de capital organizado serão necessários. O dinheiro virá das economias do povo americano, e podemos dizer que o grande MasterMind da América vai, portanto, ser uma composição mental de bens individuais representados por mente e dinheiro de milhões de pessoas. Isso é democracia em sua forma mais pura! Nessa democracia, cérebro, espírito e finanças do povo serão coordenados e usados para o desenvolvimento de oportunidades em milhares de diferentes direções.

Que essa verdade se torne propriedade comum de todo o povo americano e ouviremos menos queixas contra os "capitalistas de Wall Street" e os "interesses predadores". Os verdadeiros capitalistas da América são as pessoas cujas poupanças são investidas nos grandes empreendimentos industriais.

Definição de objetivo, se amparada pela vontade de vencer, é um mapa para o sucesso.

HILL: Sua descrição das origens da oportunidade americana é dramática e animadora. Nunca ouvi o americanismo analisado em termos de suas cinco pedras fundamentais, nem entendi esses fundamentos como a verdadeira origem de toda oportunidade americana. Mas vejo que são. Pode voltar à análise do princípio do MasterMind aplicado aos esforços individuais do povo americano? Descreva, por favor, os vários usos que um indivíduo pode fazer desse grande princípio em sua atividade diária para se apoderar de sua porção da oportunidade americana.

CARNEGIE: Eu ia voltar a isso como um clímax para este capítulo sobre o MasterMind. Mas como sempre disse, é essencial que o indivíduo saiba de onde vem nosso direito de dizer que este país é o mais rico e mais livre do mundo, antes de poder se apropriar e fazer uso de sua porção de liberdade e riquezas. Os privilégios disponíveis para o povo americano, como todos os outros direitos e privilégios, têm por trás deles uma fonte de poder. Privilégios não brotam da terra como cogumelos. Precisam ser criados e mantidos! Os fundadores de nossa forma americana de governo, por meio de sua sabedoria e previdência, construíram a base de todas as liberdades e riquezas americanas. Mas eles só criaram a base. É responsabilidade e dever de cada pessoa que reclama sua porção de liberdades e riquezas contribuir para a manutenção desses privilégios.

Já descrevi o relacionamento mais importante em que um indivíduo pode usar o princípio do MasterMind: o casamento. Não vou analisar agora alguns outros usos individuais desse grande princípio universal, porque ele pode ser aplicado no desenvolvimento de vários relacionamentos humanos que contribuem *para a realização do objetivo principal* na vida de um indivíduo. Quero que todo leitor reconheça que a realização de seu objetivo principal (seu propósito mais elevado na vida) só pode acontecer por uma série de passos, e que cada pensamento que ele tem, cada transação de que participa no relacionamento com outras pessoas, cada plano que cria e cada engano que comete tem uma influência vital em sua capacidade de alcançar o objetivo escolhido. A mera escolha de um objetivo principal definido na vida, embora escrito e totalmente gravado na mente do indivíduo, não garante a realização desse objetivo. O objetivo principal de alguém deve ser respaldado e seguido por meio de esforço contínuo, a mesma parte importante de que consiste o tipo de esforço que é aplicado no relacionamento com outras pessoas. Com essa verdade bem fixada na mente, não é difícil entender como é necessário que se tenha cuidado na escolha de associados, especialmente aqueles com quem se tem contato diário próximo.

Aqui, então, relaciono algumas fontes de relacionamento humano que o homem com um objetivo principal definido deve cultivar, organizar e usar em seu progresso rumo a um objetivo escolhido:

- **OCUPACIONAL:** fora do casamento não há outra forma de relacionamento que seja tão importante quanto aquela entre um homem e aqueles com quem ele trabalha em sua ocupação diária. Existe uma tendência, e ela é comum a todos os homens, de adotar os maneirismos, a atitude mental, a filosofia de vida, o ponto de vista político, a inclinação econômica e outras características gerais dos homens mais eloquentes com quem o indivíduo se associa em seu trabalho diário. A tragédia dessa tendência é que nem sempre o homem mais eloquente entre seus associados é aquele que tem as ideias mais sólidas; e com muita frequência, ele é o homem de pior caráter!

O homem mais eloquente também costuma ser um indivíduo que não tem um objetivo principal definido próprio; portanto, ele dedica seu tempo e seus esforços a maldizer o homem que o tem. Homens de caráter sólido, que sabem exatamente o que querem da vida, normalmente têm a sabedoria de guardar para si o que pensam, e raramente perdem tempo tentando desestimular outros homens. Estão sempre tão ocupados em promover o próprio objetivo que não têm tempo a perder com nada ou ninguém que não contribua, de um jeito ou de outro, para seu benefício.

Consciente de que pode encontrar, em quase todos os grupos com os quais faz contato em seu trabalho diário, algumas pessoas cuja influência e cooperação podem ser úteis, o homem judicioso com um objetivo principal definido na vida demonstra sua sabedoria, forma amizades próximas apenas com aqueles que podem e se dispõem a ser benéficos a ele. Os outros ele evita com jeito! Naturalmente, ele busca as alianças mais próximas com homens que sabe que têm traços de caráter, conhecimento e experiência maiores que os dele, e é claro que não ignora os que ocupam posições mais elevadas que a dele na hierarquia, tendo em vista o dia em que *poderá superá-los*, lembrando as palavras de Abraham Lincoln, que disse: "Vou estudar e me preparar, e um dia minha chance virá".

O homem com um objetivo principal definido construtivo nunca inveja seus superiores: estuda seus métodos e se apropria de seus conhecimentos, em vez disso. Você pode considerar uma profecia: o homem que passa o tempo procurando defeitos no chefe nunca seria um chefe bem-sucedido.

Os maiores soldados são aqueles capazes de acatar e cumprir as ordens de seus superiores. Aqueles que não são capazes ou simplesmente não as cumprem nunca se tornarão líderes bem-sucedidos em operações militares. O mesmo vale para o homem em um emprego civil. Se deixa de imitar os que estão acima dele, em espírito de harmonia, nunca terá grandes benefícios de sua associação com esse homem. Pelo menos vinte homens progrediram dos postos mais baixos em minha organização e se tornaram mais ricos do que precisavam ser. Não chegaram lá encontrando defeitos em mim, embora soubessem bem que tenho muitos. Eles *progrediram se apropriando e usando a experiência de todos com quem entraram em contato diário, inclusive eu mesmo.*

O homem com um objetivo principal definido faz um inventário cuidadoso de cada pessoa com quem se associa em seu trabalho diário, e olha para cada uma delas como uma possível fonte de conhecimento ou influência que pode tomar emprestados e usar em sua própria promoção. Se olha em volta com inteligência, ele descobre que seu local de trabalho diário é uma sala de aula na qual pode adquirir a maior de todas as educações, a que vem da experiência.

"Como se pode fazer o maior uso desse tipo de aprendizado?", alguém pode perguntar. *Ninguém jamais faz nada sem um motivo.* Os homens emprestam experiência, conhecimento e ajuda a outros homens porque têm motivo suficiente para isso. O homem que se relaciona com seus associados diários com uma atitude amistosa e cooperativa tem mais chances de aprender com eles do que o homem que é agressivo, irritável, grosseiro ou negligente em relação às pequenas amenidades de cortesia que existem entre todas as pessoas civilizadas. O velho ditado sobre um homem pegar mais moscas com mel do que com sal deve ser lembrado pelo homem que deseja aprender com seus associados diários que sabem mais do que ele, e cuja cooperação precisa buscar.

- **EDUCACIONAL:** a educação de um homem nunca está terminada. O homem cujo objetivo principal definido na vida tem proporções dignas de nota deve continuar estudando, e deve aprender de todas as fontes possíveis, especialmente aquelas das quais pode absorver conhecimento especializado e experiência relacionada ao seu principal objetivo.

As bibliotecas públicas são gratuitas. Oferecem grande variedade de conhecimento organizado sobre todos os assuntos conhecidos pela civilização. Expressam, em todas as linguagens, a soma de todo o conhecimento do homem. O homem bem-sucedido trata de ler livros e aprender fatos importantes relacionados ao trabalho que escolheu, que vêm da experiência de outros homens que vieram antes deles. Já foi dito que um homem não pode se considerar nem mesmo um aluno elementar de algum assunto até ter se servido, tanto quanto possível, de todo o conhecimento sobre esse assunto que foi preservado para ele por intermédio da experiência de outros.

O programa de leitura de um homem deve ser escolhido com tanto cuidado quanto sua dieta diária, porque também é alimento sem o qual ele não pode crescer mentalmente. O homem que passa todo o tempo de leitura com jornais divertidos e revistas de sexo não se dirige à grande realização; pode contar com isso como um dado definido e preciso. O mesmo se pode dizer do homem que não inclui em seu programa diário de leitura alguma forma de material que forneça conhecimento que ele possa usar de um jeito ou de outro na realização de seu objetivo principal. Leitura aleatória pode ser agradável, mas raramente é útil em relação à ocupação de um homem.

Ler, porém, não é a única fonte de educação disponível. Por uma escolha cuidadosa entre seus associados no trabalho diário, e por seus relacionamentos sociais, um homem pode aliar-se com homens de quem consiga adquirir uma educação muito liberal, por intermédio de conversas comuns. Clubes de negócios e profissionais oferecem uma oportunidade para se formar alianças de grande benefício educacional, desde que um homem escolha seus clubes e suas associações individuais neles com um objetivo definido em mente. Por intermédio desse tipo de associação, muitos homens formaram ligações comerciais e sociais de grande valor para a realização de seu objetivo principal.

Nenhum homem pode passar pela vida com sucesso sem o hábito de cultivar amizades. A palavra "contato", como é usada em relação a conhecidos pessoais, é muito importante. Se um homem toma como parte de seu dever estender sua lista de "contatos" pessoais, descobre que o hábito é útil de várias maneiras que não pode prever enquanto está cultivando essas relações, mas vai chegar o tempo em que essas pessoas estarão prontas e dispostas a ajudá-lo – se tiver feito um bom trabalho ao se anunciar de maneira convincente para elas.

- **ATIVIDADE RELIGIOSA:** nenhuma filosofia de realização individual estaria completa sem uma referência, mesmo que breve, aos benefícios de uma aliança religiosa. Não é minha intenção defender uma ou outra em particular, porque acredito que a religião de um homem é algo tão íntimo e pessoal que ele deve formar sozinho, sem nenhuma interferência, suas ideias sobre o assunto. Mas está entre meus privilégios, como um analista das causas de sucesso e fracasso, chamar a atenção para os diversos benefícios que um homem pode ter com uma aliança religiosa; e tenho referências a vantagens puramente econômicas, bem como espirituais, disponíveis por meio do relacionamento na igreja.

A igreja está entre os locais mais desejáveis para conhecer pessoas e cultivar esse conhecimento, porque ela reúne as pessoas em um momento e em circunstâncias que inspiram o espírito de companheirismo entre os homens. Todo homem precisa de alguma fonte pela qual possa se associar com os vizinhos em circunstâncias que permitam trocar ideias com eles pelo bem da compreensão mútua e da amizade, deixando de lado todos os pensamentos relacionados ao ganho financeiro. O homem que se fecha na própria concha e se dedica a pouca ou nenhuma forma de relacionamento com os vizinhos logo se torna egoísta e estreito em seus pontos de vista.

Além disso, o hábito de frequentar a igreja permite ao homem o hábito de conhecer pessoas que podem se tornar muito úteis para ele, e frequentemente se tornam, na promoção de seu negócio ou na venda de serviços pessoais. Pessoas que frequentam a igreja juntas logo criam um elo de confiança mútua que pode servir a elas tanto nos relacionamentos comerciais quanto nos sociais fora da igreja.

- **ALIANÇA POLÍTICA:** é dever e privilégio de todo cidadão americano interessar-se por política e exercitar seu direito de ajudar, pelo voto, a colocar homens e mulheres de valor nos cargos públicos. O partido político ao qual um homem pertence, se pertencer a algum, é menos importante que exercer seu privilégio de votar. Se a política é manchada por práticas desonestas, o único culpado é o povo, que tem o poder de manter pessoas desonestas, indignas e ineficientes fora do gabinete. Além do privilégio de votar e do dever que faz parte dele, não se deve ignorar os benefícios que podem advir de um interesse ativo na política, por meio de "contatos" e alianças com pessoas que podem se tornar úteis na realização do objetivo principal de um indivíduo.

Em algumas ocupações, a influência política se torna um fator importante na promoção dos interesses pessoais do indivíduo. Profissionais e homens de negócio não devem negligenciar a possibilidade de promover seus interesses por intermédio de alianças políticas ativas. A pessoa pode não querer se tornar um político, ou se candidatar a um cargo público, mas as possibilidades relacionadas às obrigações com os eleitores assumidas pelos eleitos podem ser convertidas em um bem de grande benefício para todo eleitor na promoção de sua ocupação particular. O indivíduo atento, que entende a necessidade de buscar em todas as direções possíveis aliados com quem possa contar para a realização de seu objetivo principal, usará plenamente seu privilégio do voto.

- **ALIANÇAS SOCIAIS:** aqui temos um campo fértil e quase ilimitado para o cultivo de "contatos" amistosos. É particularmente disponível a homens casados cuja esposa entende a arte de fazer amigos por meio de atividades sociais. Essa esposa pode transformar a casa e suas atividades sociais em um bem valioso para o marido, se a ocupação dele requerer amizades em uma escala considerável.

Muitos profissionais cuja ética proíbe propaganda direta ou autopromoção podem fazer uso de seus privilégios sociais, em especial se tiverem esposas com uma inclinação para essas atividades. Um corretor de seguro de vida bem-sucedido vende mais de um milhão de dólares em seguros por ano com a ajuda da esposa, que participa de um importante clube de mulheres de negócios. O papel da esposa é simples. Ela recebe as companheiras de clube e seus maridos em casa, onde o marido dela os conhece em circunstâncias amigáveis.

A esposa de um advogado ajudou o marido a construir o escritório mais lucrativo de uma cidade do Meio-Oeste, simplesmente recebendo para atividades sociais as esposas de empresários ricos. As possibilidades nesse sentido são infinitas.

Uma das maiores vantagens das alianças amistosas com pessoas de várias esferas é a oportunidade de conseguir, por meio desses contatos, oportunidades para discussões do tipo "mesa-redonda". Se alguém conhece muita gente, pessoas de vários círculos, elas podem se tornar valiosas fontes de informação sobre uma ampla gama de assuntos, proporcionando assim a formação de um intercurso que é essencial para o desenvolvimento do pensamento versátil.

Observei em diversas ocasiões, quando grupos de homens se reúnem e começam discussões do tipo mesa-redonda sobre qualquer assunto, que esse tipo de expressão livre e espontânea de pensamento enriquece a mente de todos que dele participam. Todo homem precisa reforçar seus planos e ideias com novos alimentos para o pensamento, que ele pode adquirir somente pela discussão franca e honesta com pessoas cujas ideias diferem das dele.

O pregador que faz o mesmo sermão muitas e muitas vezes, sem alimentá-lo com novas ideias extraídas do pensamento de outros homens, logo estará pregando para bancos vazios. O escritor que se torna reconhecido e permanece nessa posição de destaque deve acrescentar sempre ao próprio estoque de conhecimento pensamentos e ideias extraídos de outras pessoas, o que faz por meio de contatos pessoais e leitura.

A mente que se mantém brilhante, alerta, receptiva e flexível deve ser alimentada de maneira contínua no depósito de outras mentes. Se essa renovação é negligenciada, a mente atrofia, como um braço que deixa de ser usado. É um fato em concordância com as leis naturais. Estude o plano da natureza e vai descobrir que todo ser vivo, do menor inseto ao complicado maquinário do ser humano, cresce e se mantém saudável apenas pelo uso constante. Só objetos mortos prescindem do uso. Discussões do tipo mesa-redonda não só alimentam o estoque utilizável do indivíduo como também desenvolvem e expandem o poder da mente.

A pessoa que para de estudar no dia em que sai da escola nunca será educada, por maior que seja o conhecimento acumulado enquanto estava na escola. A vida é, em si mesma, uma grande escola, e tudo que inspira pensamento é um professor. O homem sábio tem ciência disso; mais ainda, ele transforma em parte de sua rotina diária o contato com outras mentes com o propósito de desenvolver a própria mente pela troca de pensamentos.

Vemos, portanto, que o princípio do MasterMind tem um escopo ilimitado de uso prático. É o meio pelo qual um indivíduo pode complementar o poder da própria mente com o indivíduo, a experiência e a atitude mental de outras mentes. Como alguém expressou com propriedade: "Se eu lhe dou um dólar meu em troca de um dólar seu, cada um de nós não tem mais do que aquilo com que começou; mas se eu lhe der um pensamento meu por um pensamento seu, cada um de nós ganha cem por cento de lucro sobre nosso investimento". Nenhuma forma de relacionamento humano é tão lucrativa quanto aquela pela qual os homens trocam pensamentos, e é surpreendente, mas verdadeiro, que se possa extrair da mente da pessoa mais humilde uma ideia de primeira grandeza.

Vou dar um exemplo disso com a história de um pregador que extraiu da mente do zelador de sua igreja uma ideia que o levou a realizar seu objetivo principal na vida. O nome do pregador era Russell Conwell, e seu objetivo principal era fundar uma faculdade que ele planejava havia muito tempo. O problema era falta de dinheiro, uma soma que ultrapassava um milhão de dólares.

Um dia, o reverendo Russell Conwell parou para conversar com o zelador, que estava trabalhando, cortando a grama do jardim da igreja. O zelador tinha um pensamento filosófico. Enquanto eles falavam sobre amenidades, Conwell comentou casualmente que a grama do jardim do terreno vizinho ao da igreja era muito mais verde e mais bem-cuidada que a deles. O comentário tinha a intenção, é claro, de servir como uma crítica moderada ao trabalho do zelador.

Com um largo sorriso no rosto, o homem respondeu: "A grama parece mais verde do outro lado da cerca porque estamos acostumados à grama do lado de cá". Esse comentário plantou na mente fértil de Russell Conwell a semente de uma ideia, só uma semente bem pequena, que o levou à solução de seu objetivo principal na vida. Daquele humilde comentário nasceu uma ideia para um sermão que Conwell compôs e repetiu mais de mil vezes. Ele o chamou de "Acres de Diamantes". A ideia central do sermão era esta: um homem não precisa buscar sua oportunidade longe, mas pode encontrá-la exatamente onde está, reconhecendo que a grama do outro lado da cerca não é mais verde do que aquela onde ele se encontra: só parece ser.

O sermão gerou um rendimento de mais de quatro milhões de dólares ao longo da vida de Russell Conwell. Foi publicado na forma de livro e se tornou um *best-seller* em todo o país por muitos anos depois de sua morte. O dinheiro foi usado para fundar e manter a Temple University, uma das grandes escolas americanas. A ideia em torno da qual o sermão foi construído fez mais que fundar uma universidade. Enriqueceu a mente de milhares de pessoas influenciando-as a procurar oportunidades exatamente onde estavam. A filosofia do sermão é hoje tão sólida quanto era no dia em que saiu da cabeça do zelador filosófico.

Lembre-se disto: todo cérebro ativo é uma fonte em potencial de inspiração da qual se pode extrair uma ideia, ou a simples semente de uma ideia, de valor inestimável para a solução dos problemas pessoais de alguém. Às vezes, grandes ideias surgem de mentes humildes, mas geralmente elas surgem da mente das pessoas mais próximas, com as quais o relacionamento de MasterMind foi deliberadamente estabelecido e mantido. A ideia mais rentável de minha carreira surgiu uma tarde, quando Charlie Schwab e eu jogávamos golfe. Quando terminamos nossas tacadas no buraco treze, Charlie olhou para mim com um sorriso acanhado e disse: "Estou três pontos na sua frente neste buraco, chefe; mas acabei de ter uma ideia que vai lhe deixar com muito tempo para jogar golfe".

A curiosidade me fez perguntar que ideia era aquela. Ele a relatou em uma frase curta, e cada palavra dela valia, grosso modo, um milhão de dólares. "Consolide todas as fábricas em uma grande corporação", ele sugeriu, "e venda para Wall Street."

Nada mais foi dito sobre o assunto durante o jogo, mas naquela noite eu comecei a estudar a sugestão e pensar nela. Antes de ir dormir, eu havia convertido a semente de sua ideia em um plano definido. Na semana seguinte, mandei Charlie Schwab a Nova York para fazer uma palestra para um grupo de banqueiros de Wall Street, entre os quais estava J. Pierpont Morgan. A essência do discurso era um plano para a organização da United States Steel Corporation, pela qual eu consolidaria todos os meus investimentos em aço e me aposentadoria da operação ativa do negócio, levando comigo mais dinheiro do que qualquer pessoa precisava. Quero enfatizar um ponto. Charlie Schwab talvez nunca tivesse tido essa ideia, e eu provavelmente jamais teria sido beneficiado por ela, se eu não fizesse questão de incentivar a criação de ideias. Esse incentivo era assegurado por um relacionamento próximo e contínuo com os membros do meu grupo de MasterMind, entre eles, Schwab.

"Contato", quero repetir, é uma palavra importante! É muito mais importante se acrescentarmos a ela outra, "harmonioso"! Por meio de relacionamento harmonioso com a mente de outros homens, um indivíduo pode ter uso pleno de sua capacidade de criar ideias. O homem que ignora essa grande verdade se condena eternamente à mediocridade. Nenhum homem é inteligente o bastante para projetar sua influência muito longe sem a cooperação amistosa de outras pessoas. Leve isso com você de todas as maneiras possíveis, em sua apresentação da Filosofia da Realização Americana, porque isso é suficiente para abrir a estrada do sucesso para milhares de homens e mulheres que podem, de outra forma, passar pela vida sem ter em vista seu objetivo principal, muito menos realizá-lo.

Muitas pessoas procuram o sucesso longe, bem longe de onde estão; e com grande frequência elas o procuram por meio de planos complicados baseados na crença em "milagres" e sorte. Como Russell Conwell colocou com grande aptidão o assunto em seu famoso sermão, algumas pessoas parecem pensar que a grama do vizinho é mais verde, e ignoram os "Acres de Diamantes" na forma de ideias e oportunidades disponíveis a elas por meio da mente de seus associados diários.

Encontrei meus "Acres de Diamantes" exatamente onde eu estava, enquanto olhava para uma fornalha tão quente que só podia penetrá-la com meus pensamentos. Lembro bem do primeiro dia em que comecei a divulgar minha ideia de me tornar líder de uma grande indústria do aço, em vez de permanecer como um participante sem importância no "Acre de Diamantes" de outro homem.

No começo o pensamento não era muito definido. Era mais um desejo que um objetivo definido. Logo comecei a trazê-lo de volta à cabeça e incentivá-lo a morar lá, até que chegou o dia, finalmente, em que a ideia começou a me conduzir, não mais o contrário.

Nesse dia comecei realmente a trabalhar em minha "mina de diamantes", e foi surpreendente descobrir com que rapidez um objetivo definido encontra um meio de traduzir-se em seu equivalente físico. O principal é saber o que se quer. A segunda coisa mais importante é começar a cavar em busca dos diamantes exatamente onde se está, usando as ferramentas que se tem à mão, mesmo que sejam só ferramentas do pensamento. Em proporção ao uso fiel das ferramentas disponíveis, o indivíduo receberá outras melhores. O homem que entende e usa o princípio do MasterMind encontra as ferramentas necessárias muito mais depressa que aquele que nada sabe sobre esse princípio.

Sem dúvida, alguns leitores vão querer saber como e onde conheci o princípio do MasterMind, ao que devo, mais que a todo o resto, o sucesso financeiro que recompensou meu trabalho.

Bem, vou contar a história, e com ela o leitor terá uma compreensão melhor de meu motivo para incluir a frequência à igreja como uma das fontes importantes para o uso lucrativo do princípio do MasterMind. É claro que todos que me conhecem sabem que nunca enfatizei minhas ideias religiosas, ou minha frequência à igreja, no sentido de me colocar como um exemplo a ser reproduzido; mas tornei parte do meu programa regular de vida deixar de lado todos os pensamentos sobre coisas materiais, pelo menos um em cada sete dias, lendo um livro ou ouvindo um sermão ou uma palestra.

Certa manhã de domingo, ouvi o sermão de um clérigo que me deu uma descrição nítida do que ele acreditava que Cristo faria se vivesse em um mundo no qual comércio e indústria fossem os interesses dominantes das pessoas. De um jeito muito dramático, ele criou uma imagem de Cristo e seus doze discípulos vivendo em nosso mundo moderno, transformados na vida dos dias atuais, e os descreveu sentados em volta de uma mesa como a diretoria de uma grande indústria. Ele colocou palavras modernas na boca de Cristo e dos discípulos e pintou uma imagem impressionante de como ele acreditava que o grupo comandaria os negócios se vivesse em uma era industrial como a nossa.

Eu era só um jovem e desconhecido trabalhador, mas aquele sermão plantou em minha mente a semente do princípio de MasterMind.

Comecei a pensar sobre ele. Comecei a falar sobre ele com outros trabalhadores, e logo dois dos meus associados mais próximos começaram a ter uma ideia de suas estupendas possibilidades. Vestimos a ideia com nossa compreensão prática da indústria do aço. Sem demora, quase antes de percebermos completamente o poder do princípio que tínhamos encontrado, cristalizamos nossa conversa em um objetivo principal definido que conduziu à origem da qual extraímos o necessário capital de giro para o meu primeiro empreendimento industrial.

Esse é um mundo de desconfiança e dúvida, e você vai encontrar muitos homens dizendo que não vão à igreja porque os pregadores só falam de um mundo do qual nada conhecem; que suas ideias são impraticáveis e inadequadas para o uso em um mundo de trabalho diário no qual o homem precisa atender às necessidades do estômago, antes de poder fazer alguma coisa pela salvação de sua alma. Nenhum homem sábio vai se deixar enganar por esse tipo de filosofia. A igreja é um lugar onde se pode encontrar combustível para o fogo do pensamento. Talvez seja verdade que pregadores às vezes falam demais sobre uma vida futura, e pouco sobre a vida que vivemos neste mundo. Mesmo assim, prevalece o fato de eu ter encontrado o caminho da pobreza para a riqueza por meio de uma ideia plantada em minha mente por um pregador em uma igreja.

Não me entenda mal, não digo que a igreja é o único lugar onde se pode ser inspirado por ideias sólidas que ajudam na solução de problemas materiais; também não pretendo dar a impressão de que a igreja é sempre o melhor lugar para encontrar essa inspiração. Quero enfatizar, porém, que o intercurso humano amigável por meio da operação do princípio do MasterMind, seja qual for sua origem, é essencial para o desenvolvimento e crescimento mental, e a igreja muitas vezes oferece um ambiente favorável para o desenvolvimento desse princípio.

Toda mente precisa de contato com outras mentes para ter o alimento da expansão e do crescimento. A pessoa com discernimento escolhe os tipos de mente com que se associa da maneira mais íntima com todo o cuidado, reconhecendo que absorve parte da personalidade de todos com quem se associa de maneira regular. Eu não daria nada por um homem que não toma para si a responsabilidade de buscar a companhia de pessoas que sabem mais e têm mais influência que ele, porque, tão certo quanto o dia segue a noite, um homem se eleva ao nível de seus superiores ou desce ao nível de seus inferiores de acordo com a classe que reproduz pela escolha dos associados próximos.

É fato muito conhecido que me cerquei de um grupo de MasterMind de homens que sabiam mais que eu sobre a produção e o comércio de aço. Se não tivesse feito isso, nunca teria sido reconhecido como líder na manufatura do aço.

HILL: Entendi bem a explicação, mas há uma coisa que você não explicou e que está me inquietando. O que eu gostaria de saber é a regra pela qual se é governado ao escolher, como seus aliados de MasterMind, homens que têm capacidade e conhecimento superior. Ocorre-me que homens de capacidade superior não serão influenciados com facilidade a se aliar a um homem de capacidade inferior.

Quantos conseguem superar esse obstáculo na construção de uma aliança de MasterMind?

CARNEGIE: Fico muito feliz por ter feito essa pergunta, porque ela me dá uma oportunidade para esclarecer esse ponto. Vamos começar chamando atenção para os nove motivos básicos que servem como espírito mobilizador em tudo que as pessoas fazem ou deixam de fazer. Os homens formam alianças com outros homens por alguns benefícios que esperam obter com essa parceria.

O homem que controla a própria mente pode controlar praticamente tudo mais que desejar.

Acontece com frequência que um homem com pouquíssima capacidade em relação a vários assuntos tenha experiência e conhecimento de grande valor prático em algum campo específico. Se ele conseguir mostrar que suas ideias são boas, que podem render lucros, não terá dificuldade para convencer outras pessoas a unirem forças com ele na promoção e no desenvolvimento dessas ideias, embora seus associados possam ser superiores em muitos aspectos alheios ao seu conhecimento específico.

Veja meu caso, por exemplo: eu era só um trabalhador comum, mas concebi algumas ideias em relação à produção e comercialização do aço que estavam muito à frente dos métodos habituais usados no ramo. A novidade de minhas ideias, mais minha capacidade de vendê-las a outras pessoas, me colocou na posição dominante em uma aliança com indivíduos que forneceram de boa vontade o capital necessário para o desenvolvimento dessas ideias.

Em muitos aspectos, esses homens eram superiores a mim. Na produção do aço, de acordo com meu plano, eu era superior a eles, e eles me reconheciam dessa forma. A especialidade desses homens era a manipulação e o uso do capital para a obtenção de lucro. Minha especialidade era produzir aço por métodos aperfeiçoados. Precisávamos um do outro. Os homens que forneciam o capital não podiam produzir aço, mas eu podia mostrar a eles como produzi-lo com um benefício econômico jamais alcançado antes. Com o capital necessário à minha disposição, foi fácil me cercar de homens que tinham a capacidade técnica necessária para a produção de aço. Eles eram motivados em sua aliança comigo pelo desejo de ganho financeiro. *Precisavam de mim tanto quanto eu precisava deles*, porque não tinham a habilidade necessária para transformar seus talentos em dinheiro. Como eu tinha essa capacidade, eles uniram forças comigo.

Vou dar outro exemplo típico de como homens com ideias práticas induzem homens de capacidade superior a se unirem a eles pelo princípio de MasterMind. Na cidade de Detroit tem um homem chamado Henry Ford. Ele teve pouca educação formal, e sua personalidade não tem nada de especial. Mas ele criou uma ideia que atraiu a habilidade técnica e o capital necessário para dar a essa ideia grande valor comercial.

Sua ideia, como todo mundo sabe, é um veículo automotor de transporte conhecido como automóvel. Ele dedicou muito tempo e pensamento à ideia, e a testou até provar que tinha valor comercial.

O passo seguinte foi convencer um de seus conhecidos a fornecer um pequeno capital com o qual ele começaria a fabricar o veículo. Com a ajuda do novo aliado, ele induziu os irmãos Dodge e outros homens com capacidade técnica e mecânica a se tornarem parte de sua aliança de MasterMind. Talvez seus aliados tivessem mais capacidade que ele em muitos aspectos, mas a ideia era dele, e todos concordaram que Henry Ford deveria se tornar o fator dominante na aliança.

Esse é o procedimento habitual pelo qual os homens se cercam de aliados com maior capacidade do que eles mesmos têm. Há sempre um motivo por trás dessas alianças. O mais comum é o desejo de ganho financeiro. Quero que você observe Ford, porque um dia ele vai dominar a indústria automobilística americana. Observe-o com atenção, porque ele é um filósofo, além de ter boas ideias mecânicas, e você pode ver como um homem começa do zero aqui na América, sem nada além de uma boa ideia, e chega a grandes realizações.

Já que estamos falando sobre ideias, quero chamar atenção para o fato de que *ideias governam o mundo*! Elas são a semente da qual germina toda realização humana. Um homem capaz de criar uma boa ideia sempre pode encontrar cérebros e capacidade, além do capital necessário, para seu desenvolvimento e promoção.

Falando em capital, é preciso lembrar que dinheiro, sem a capacidade dos homens que sabem usá-lo, tem pouco valor em qualquer empreendimento. O verdadeiro capital por trás de qualquer negócio consiste tanto de bens físicos mensuráveis em termos de dinheiro quanto dos cérebros necessários à administração *desses bens, com forte ênfase no último.*

Tenha essa imagem da natureza do capital bem firme em sua mente e você vai entender melhor o procedimento pelo qual homens com boas ideias conseguem se cercar de homens que são superiores a eles, em muitos sentidos, pela promoção rentável de suas ideias. Por melhor que seja, uma ideia pode valer, e geralmente vale, pouco ou nada até ser respaldada por dinheiro e explorada comercialmente. Raramente um homem tem a capacidade de criar ideias comercialmente boas e tem, além disso, o dinheiro necessário para promovê-las. Essa é a circunstância factual que torna comparativamente fácil para um homem com uma boa ideia comercial aliar-se ao grupo de MasterMind criado por homens de capacidade superior, mas sem a capacidade criativa para originar boas ideias.

Às vezes, o homem com uma boa ideia tem grande dificuldade para convencer homens com dinheiro sobre as possibilidades comerciais de sua ideia: em especial, é provável que ele encontre indiferença e oposição se a ideia for basicamente nova e não testada. Um exemplo recente pode ilustrar o que digo. Os irmãos Wright criaram uma ideia muito boa, mas que não havia sido testada, quando inventaram uma máquina que podia voar. O mundo nunca tinha visto uma máquina que pudesse voar com um homem no controle. Sem precedente a seguir, os Wright construíram essa máquina e provaram, para satisfação própria, que ela era possível.

No começo, os jornalistas reagiram com tanto ceticismo que nem perderam tempo investigando essa máquina voadora. Acreditavam que não fosse prática, pois nunca tinham visto nada parecido, e nunca tinham ouvido falar nela. Se os irmãos Wright fossem só homens comuns, teriam desanimado e desistido da ideia antes de ela ser aceita pelo mundo. Mas eles não eram homens comuns, eram sucessos em potencial. Tinham um objetivo principal definido e a coragem para defender seu objetivo até alcançarem seu propósito. Com a ajuda do princípio do MasterMind, eles atraíram homens com o capital necessário e outros com a capacidade técnica necessária para aperfeiçoar e promover a ideia até obrigarem o mundo a aceitá-la. A indústria da máquina voadora está nascendo; mas vai chegar o tempo, e não vai demorar, em que viajar pelo ar será tão comum quanto viajar de trem ou automóvel no presente.

Esse é o caminho de todo o progresso humano, e é assim desde o começo da civilização até os dias de hoje. *Os homens aceitam ideias novas muito devagar e com resistência!* Prevenir-se é preparar-se; portanto, não se esqueça de prevenir os estudantes da filosofia da realização contra o hábito comum de desistir no momento em que as coisas ficam difíceis.

Thomas A. Edison enfrentou dificuldades no início. Lembro bem como o mundo demonstrou seu desprezo por Edison quando ele anunciou que havia aperfeiçoado uma lâmpada incandescente que podia ser acesa com eletricidade. Edison passou pela mesma experiência que vive todo homem com uma ideia nova ou melhorada. Mas Edison era um homem de objetivo definido e defendeu seu objetivo ao longo de mais de dez mil fracassos e desapontamentos, até ver, finalmente, o triunfo da coragem sobre o medo e a dúvida.

HILL: Fico feliz por ter sua opinião sobre a questão da persistência, porque é provável que precise seguir seu conselho por um bom tempo, antes de convencer o mundo a aceitar uma nova filosofia de realização individual.

CARNEGIE: Sim, vai precisar de muita persistência, mais do que é requerida em muitos empreendimentos, porque vai precisar de persistência para enfrentar os longos anos de trabalho que terá de viver antes de organizar a filosofia, e vai precisar dela antes de convencer o mundo a aceitar os resultados de seu trabalho. Por isso ressalto a importância de prestar atenção à experiência de homens que o precederam e que, sem nenhuma exceção, encontraram ceticismo e dúvida antes de suas ideias serem aceitas.

Seu sucesso ou fracasso vai depender em grande medida, se não completamente, de sua capacidade de seguir em frente sem a aprovação do mundo, até o trabalho que faz conquistar reconhecimento. De qualquer maneira, você tem uma combinação de motivos que proverá a coragem e o espírito mobilizador para seguir em frente e até chegar aonde começou.

Em primeiro lugar, seu presente para o mundo, essa primeira filosofia prática de realização individual, vai trazer mais fama e reconhecimento público do que qualquer homem precisa ter para satisfazer sua sede de reconhecimento.

Em segundo lugar, seu triunfo vai trazer mais recompensa financeira de que necessita.

Em terceiro lugar, o serviço que você presta ao mundo por meio de seu trabalho vai trazer felicidade de natureza duradoura, com quantidade e qualidade que você não poderia encontrar de nenhum outro jeito. Mantenha em mente esses pensamentos quando o desânimo aparecer, e eles o ajudarão a remover todos os obstáculos que surgirem em seu caminho.

Se trabalhar bem, você vai viver para ver o dia em que terá projetado sua influência em cada parte do mundo civilizado. Seu nome se tornará uma senha em cada povoado, vilarejo e cidade da América. Seu trabalho será traduzido em todos os idiomas, e sua contribuição ao mundo terá sido de uma natureza mais prática e duradoura que a de todos os professores de filosofia abstrata conhecidos pela civilização, de Platão e sua escola de pensamento a Emerson e os filósofos recentes. Mantenha esse ponto de vista e apegue-se a ele, mas não permita que ele o domine! Se chegar ao ponto de se levar a sério demais, ou de sentir que é indispensável ao mundo, terá superado sua vida útil. Aborde seu trabalho com humildade, mantendo sempre à frente da mente a ideia de que é apenas um estudante pesquisando a vida de outros homens em busca de conhecimento sobre a vida e sobre viver, conhecimento que será útil para aqueles que não têm capacidade nem vontade de passar vinte ou trinta anos procurando princípios do desenvolvimento humano.

Você se tornará grande apenas na medida da ajuda que dará aos outros para se encontrarem, sem nunca sentir a própria grandeza!

Antes de partir, vou abrir muitas portas para você e fornecer livre acesso à mente de muitos homens de realizações distintas. Se der a esses homens a impressão de que é alguém que leva a si mesmo ou seu trabalho a sério demais, ou se os induzir a acreditar por qualquer pequeno ato ou palavra que está trabalhando apenas por engrandecimento pessoal, eles se fecharão como conchas, e você não terá nenhuma cooperação. Aborde-os com sinceridade de propósito estampada no rosto e no coração, e eles deixarão de lado o próprio trabalho para conceder a você o benefício da riqueza da vida deles.

Vou mandá-lo a Alexander Graham Bell, inventor do telefone; a Elmer R. Gates, o grande cientista americano que passou a vida pesquisando tudo relacionado ao funcionamento da mente humana; e vou mandá-lo a um grupo de outros homens distintos cuja vida profissional inteira se tornará um livro aberto para você apreciar e usar, mas não terá nada desses homens, a menos que os procure com a evidência de que trabalha para dar ao mundo uma filosofia de realização individual melhor que qualquer outra que existe no momento.

Lembre-se, um homem pode ter quase tudo que quer, dentro do razoável, se for atrás desse desejo em nome do que ainda não nasceu e do mundo como um todo; mas se demonstrar por seus atos e palavras que busca cooperação por benefícios puramente pessoais, ele encontrará um mundo frio e indiferente. Se pareço enfatizar essa verdade a ponto de me tornar pessoalmente afrontoso, assim ajo porque você e todas as pessoas que começam uma tarefa como a que aceitou precisam entender essa característica da humanidade. Digo assim não só para sua orientação, mas também para que transmita essa verdade pela filosofia da realização a outros que também precisam dela.

Se quer uma ilustração prática do que acontece quando esse princípio é posto em prática por um homem que prova à comunidade que trabalha pelos interesses das pessoas, não só pela autopromoção, estude a experiência do candidato ao cargo público que se levanta com indignação justa contra os males políticos do presente e se apresenta ao povo como um candidato da reforma, prometendo a ele sacrificar interesses pessoais e tempo pelo bem-estar geral. Conheci mais de um exemplo desse tipo de homem que foi eleito por maioria esmagadora.

Há pouco tempo, certo distrito em uma grande cidade americana foi tão abusado por um prefeito que se aliou ao submundo, que aquela área da cidade se tornou perigosa para os jovens. Os políticos foram requisitados em vão. Finalmente, um religioso decidiu fazer alguma coisa. Apesar da falta de experiência nas questões políticas, ele escolheu um conhecido empresário como sua indicação para prefeito, e foi ao distrito afetado com o sangue fervendo nas veias. Lá ele disse ao povo em termos claros que ficaria ali até que todos os ajudassem a colocar um homem decente no gabinete. Noite após noite ele andava pelo distrito, falando de um palanque que montou em uma carroça, concluindo o discurso sempre com as seguintes palavras: "Peço sua cooperação, não para o meu benefício, mas para o benefício de seus filhos e dos filhos dos vizinhos, que têm direito a um exemplo de decência por parte de todas as pessoas mais velhas".

Seu candidato foi eleito com a maior votação jamais conquistada por um prefeito! E a história se repete em todos os relacionamentos humanos. O mundo todo quer ajudar aquele que esquece de si mesmo e oferece seus serviços para o bem dos outros. Se não me engano, era essa a ideia de um humilde carpinteiro que, há quase dois mil anos, deu Seus serviços e Sua vida para melhorar a vida dos outros. Sua influência se espalhou até ser agora a maior influência benéfica individual que o mundo já conheceu, e Sua filosofia é tão sólida hoje quanto era quando Ele a pregou.

Todas as disputas têm três lados: seu lado, o outro lado, e o lado certo.

Não quero fazer de você um pregador, mas chamar sua atenção para uma regra simples de relacionamento humano que foi dada ao mundo pelo maior filósofo de todos os tempos; e espero sinceramente que você não deixe de transmitir ao mundo a sugestão que dei sobre Sua filosofia. Se chegar um tempo neste país, ou em qualquer outro, em que as pessoas se tornem tão frias e práticas que olhem com desprezo para a filosofia do Nazareno, o mundo estará em más condições. Além do mais, quero que lembre que foi esse mesmo humilde carpinteiro que deu ao mundo sua primeira demonstração da funcionalidade do princípio do MasterMind. Algumas teologias podem ter se afastado muito dos ensinamentos originais do Nazareno, e o mundo dos negócios, portanto, pode ter razões justas para considerar as aplicações práticas modernas da religião como algo impraticável na administração industrial, mas que o mundo se lembre que a teologia de um intérprete falível e os ensinamentos do Mestre são duas coisas separadas e distintas. Nunca me considerei um seguidor exemplar de nenhuma interpretação moderna da religião, mas sei o que o Mestre disse sobre relacionamentos humanos, e sei, por experiência prática e observação dos métodos dos homens de negócios, bons e maus, que Sua filosofia é tão boa e aplicável hoje quanto era quando Ele a ensinou.

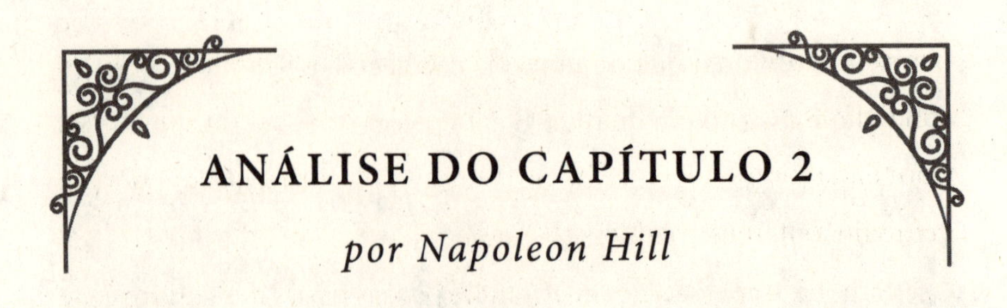

ANÁLISE DO CAPÍTULO 2

por Napoleon Hill

Como Andrew Carnegie afirmou de maneira tão convincente, o MasterMind é um meio prático pelo qual o indivíduo se apropria e usa educação, inteligência e experiência pessoal de outras pessoas; portanto, é o meio com que se pode superar praticamente todo obstáculo que tem de ser enfrentado no caminho para a realização do principal objetivo de alguém.

Com a ajuda do MasterMind é possível examinar as estrelas do céu sem ser astrônomo.

Com a ajuda desse princípio, é possível entender a estrutura da Terra onde vivemos sem ser geólogo.

Pode-se observar a Natureza produzindo uma borboleta a partir de uma lagarta, sem ser biólogo.

Por meio desse princípio é possível conhecer a natureza e o uso de drogas e substâncias químicas sem ser químico.

Dá para conhecer a história da humanidade sem ter vivido desde o começo dela.

Todas essas possibilidades, e mais, estão disponíveis para a pessoa que entende como aplicar esse princípio universal; portanto, ele ocupa uma posição de primeira grandeza na filosofia da realização individual.

Nenhuma alteração foi feita na interpretação de Carnegie para o princípio do MasterMind e seu papel na filosofia da realização. A pedido dele, a filosofia foi apresentada, tão rapidamente quanto possível, em suas próprias palavras. A seguir, acrescento minhas observações sobre o MasterMind.

SUGESTÕES PARA PRINCIPIANTES NO USO DO MASTERMIND

Aqui vai um resumo das orientações para o uso prático do MasterMind que dou a todos os iniciantes.

» Para todos os efeitos práticos, o estudante pode presumir que há dois tipos de alianças de MasterMind. Primeiro, a do tipo puramente pessoal, que consiste de parentes, amigos próximos, conselheiros religiosos e conhecidos de círculos sociais, com quem se pode aliar para o lazer ou por propósitos educacionais, sem nenhuma intenção de transformar a aliança em ganho material ou financeiro. Segundo, alianças ocupacionais, comerciais ou profissionais, formadas por pessoas escolhidas inteiramente para progresso financeiro, econômico ou profissional, por lucro. Harmonia é a palavra a ser observada para o sucesso nos dois grupos. Lembre-se de que, nos dois, uma das maiores considerações que se deve oferecer aos aliados escolhidos em troca de sua solidariedade, lealdade, conhecimento, experiência, capacidade criativa, harmonia e cooperação é o retorno, em plena medida, dessas mesmas qualidades.

» Escolha como membros da sua aliança de MasterMind nos dois grupos homens e mulheres que sejam mais adequados às suas necessidades. Escolha aqueles que têm mais probabilidades de se manterem em total solidariedade com seu objetivo principal definido. Mantenha seu objetivo principal presente e firme em sua mente e na dos que escolheu para ajudá-lo na conquista desse objetivo. Se descobrir que escolheu alguém que não serve para ser membro de sua aliança, abra mão da escolha inadequada e faça uma nova seleção.

» Seis ou sete pessoas costuma ser o número mais favorável para a cooperação harmoniosa. Um número maior pode se tornar desajeitado. Para alianças puramente sociais (exclusivas de empreendimentos comerciais em que a habilidade técnica é essencial), um número menor é suficiente, e esse número depende, é claro, da natureza e do propósito da aliança.

» Membros da aliança de MasterMind devem permanecer, o tempo todo, em comunicação próxima uns com os outros. Devem ter um horário regular de reuniões, como o Conselho Diretor de uma empresa bem-administrada se reúne regularmente. No entanto, não é essencial que todos os membros estejam presentes em todas as reuniões.

» Em reuniões formais de um grupo de MasterMind, meios e maneiras para a realização do objetivo principal definido ou para a conquista de qualquer objeto menor tendo em vista a realização do objetivo principal devem ser profundamente analisados em uma discussão da qual todos os membros participem, de forma que os planos finais representem a experiência, o conhecimento, a genialidade, a estratégia e a imaginação combinados de todos os indivíduos da aliança. Porém, o ato propriamente dito de pôr em prática quaisquer planos criados pelo grupo é de responsabilidade única do líder. Não espere que outros digam o que você deve fazer, quando fazer, onde fazer e como fazer, e depois façam por você!

» Lembre sempre que um DESEJO ARDENTE, DEFINITIVAMENTE AFIRMADO, AMPARADO POR FÉ é o começo de toda realização, e a própria essência em torno da qual o MasterMind funciona com sucesso. Desejo, o desejo profundamente assentado e definido, é o ponto de partida para a aplicação do MasterMind. Não há disponível para o indivíduo conquistar com esforço próprio, exceto o que é obtido pelo desejo definido. Portanto, que o seu objetivo principal na vida se torne um desejo obsessivo!

» Lembre-se também de que a atitude mental é uma forma de energia contagiosa que toca e influencia cada membro de um grupo de MasterMind. Portanto, vá para as sessões do seu grupo de MasterMind com uma disposição de autoconfiança baseada em fé absoluta na realização do seu objetivo principal. Não pode haver concessão em relação ao estado mental chamado fé. Esse é o poder invisível que une as mentes de um grupo de MasterMind em uma só mente, a partir do momento em que se torna o fator dominante na mente de cada indivíduo do grupo. Fé e medo são os dois extremos opostos do espectro de energia criado por uma aliança de MasterMind; um representa o polo positivo do contínuo, o outro representa o extremo negativo.

A fé permite que o indivíduo se aproxime de Deus a ponto de se comunicar com ele. O medo o mantém afastado e torna a comunicação impossível.

A fé faz evoluir um grande líder cujas visões não conhecem limites; o medo cria um seguidor hesitante.

A fé faz homens corajosos e honrados nos negócios; o medo faz homens desonestos, indignos de confiança e dissimulados.

A fé leva o indivíduo a procurar e esperar encontrar o melhor que há no homem; o medo descobre apenas defeitos e deficiências no homem.

A fé se identifica sem engano pela expressão nos olhos de um homem, em seu rosto, no tom de voz e em cada atitude. O medo se identifica da mesma maneira, e em todos esses lugares sua presença pode ser reconhecida por quem quiser.

A fé atrai pessoas dispostas a cooperar; o medo repele as pessoas e as torna avessas à comunicação e a responder tentativas de abordagem.

A fé atrai apenas o que é construtivo e criativo; o medo só atrai o que é destrutivo. Teste esse princípio onde quiser, e se convença de sua veracidade.

O acerto trabalha pela fé; o erro trabalha pelo medo. Postos um contra o outro, o homem com fé abundante vencerá aquele que é desmotivado pelo medo 99 de cada cem vezes, porque o medo faz o homem seguir em frente sem plano ou propósito, enquanto a fé só age por planos bem definidos tendo em vista fins claros.

Fé e medo começam imediatamente a revestir seus objetivos em realidades físicas, valendo-se da mais prática e natural das mídias disponíveis.

Fé constrói; medo destrói. Essa ordem nunca é revertida.

A fé pode construir um Empire State Building, um Canal do Panamá, ou dar segurança a uma nação. O medo rejeita toda iniciativa, grande e pequena.

Fé e medo nunca fraternizam. Não podem e não vão ocupar a mente ao mesmo tempo. Um ou outro precisa dominar, e sempre domina.

O medo acolhe guerras e depressões devastadoras; a fé as expulsa.

Fé pode elevar a mais humilde das pessoas ao pico de grandes conquistas em qualquer vocação. O medo pode tornar a realização impossível, e torna.

Até um cavalo ou cachorro sabe quando o dono está com medo, e reflete esse medo de forma definida no comportamento, provando assim que o medo é contagioso.

Fé é um poder misterioso, irresistível, que os cientistas não conseguiram isolar ou entender. É a alquimia secreta da natureza com que a mente do homem é dotada de poderes espirituais.

Medo e poder espiritual são como água e óleo, não se misturam.

Fé é um estado mental, e é privilégio de todo homem usá-la. É importante apontar que a única coisa sobre a qual todo indivíduo tem completo controle é seu estado mental.

Quando utilizada, a fé remove a maioria das limitações reais e imaginárias com que o homem se prende em sua própria mente. Nenhum homem descobriu limitações para o poder da fé.

A fé começa a se apoderar da mente quando o indivíduo cristaliza esperanças, desejos, metas e objetivos em uma determinação ardente de encontrar o sucesso.

A fé forma uma afinidade natural com a justiça; o medo fraterniza com a injustiça.

Seja grande ou pequeno, para alcançar o sucesso todo negócio precisa ter um líder capaz de inspirar fé em todos a quem serve ou que são servidos por esse negócio.

Quando você deixa de ter fé em suas metas e esperanças, é melhor escrever "*finis*" em seu histórico, porque estará acabado, seja você quem for e seja qual for sua vocação.

Eu asseguro que, se vocês tiverem a fé do tamanho de um grão de mostarda, poderão dizer a este monte: "Vá daqui para lá", e ele irá. Nada será impossível para vocês.

* * *

Estou aqui enfatizando um fator importante do princípio do MasterMind que Andrew Carnegie não enfatizou, a saber, o estado mental chamado fé. Faço isso porque a experiência provou inúmeras vezes que o hábito da discussão amistosa sobre qualquer assunto, pelo que se tornou popularmente conhecido como reunião de mesa-redonda, tem uma tendência clara de afastar o medo e incentivar a fé. A maioria dos homens de distintas realizações descobriu esse fato e fez uso efetivo dele.

É conhecimento comum que quatro líderes da indústria americana fizeram uso desse princípio ao longo de um período de anos. Eles são Henry Ford, Thomas A. Edison, Harvey Firestone e John Burroughs, o naturalista. Uma vez por ano, deixavam de lado as responsabilidades dos respectivos negócios e viajavam juntos, iam a algum local isolado nas montanhas onde entravam em uma aliança de MasterMind com o propósito de trocar ideias. Quando voltavam, cada homem do grupo levava todo o conhecimento com que tinha ido, mais o que havia adquirido com os outros três. Pessoas que conhecem os fatos já disseram que cada homem do grupo voltava dessas peregrinações anuais com uma mente nova e mais alerta.

Como Carnegie afirmou com grande competência, a mente não é completa sozinha. Todas as mentes realmente grandes foram reforçadas pelo contato com outras mentes. Às vezes, esse reforço acontece por puro acaso, sem o pleno conhecimento do indivíduo sobre o que está acontecendo ou como está acontecendo, mas as mentes realmente grandes são resultado de compreensão e uso deliberados do princípio do MasterMind. É por isso que são poucas as mentes realmente grandes! O princípio do MasterMind não é assunto de conhecimento comum para todas as pessoas, e foi a compreensão desse fato que levou Andrew Carnegie a dizer que estava apresentando ao povo da América a melhor parte de suas verdadeiras riquezas ao ajudar a organizar todos os princípios do sucesso em uma filosofia de realização individual.

Observe os homens bem-sucedidos onde quer que os encontre, e verá, se tiver acesso aos registros da vida deles, que o sucesso foi consequência da aplicação, de uma forma ou de outra, do princípio do MasterMind.

Arthur Brisbane era um homem da imprensa sem registro de realizações de grande destaque. Ele formou uma aliança com William Randolph Hearst, pela qual se tornou conselheiro confidencial de Hearst. O relacionamento entre os dois pôs em funcionamento aquele poder silencioso e invisível conhecido como fé, e em pouco tempo

Brisbane progrediu até uma posição importante, com seu nome no fim de uma coluna chamada "*Today*" (Hoje) na primeira página diária de todos os jornais que pertenciam a Hearst. A popularidade de Brisbane cresceu até seu nome aparecer nas primeiras páginas de centenas de outros jornais do país. Sua fortuna também cresceu! E William Randolph Hearst também cresceu, tanto em poder mental quanto em riquezas materiais. A aliança levou grandes benefícios aos dois homens.

Há pouco tempo, Arthur Brisbane morreu, e imediatamente após sua morte o grande império jornalístico de Hearst desmoronou como se fosse construído sobre uma base de areia. O MasterMind que desenvolveu os jornais de Hearst e os manteve em lucrativo funcionamento havia morrido com Brisbane. Tais circunstâncias não podem ser explicadas como simples coincidências ou acaso. A mente compreensiva sabe que não é assim. Procure onde quiser, entre homens e mulheres envolvidos nas mais humildes buscas da vida, bem como entre aqueles que se dedicam à administração de impérios de comércio e indústria, e vai encontrar o princípio do MasterMind em evidência onde quer que haja um indivíduo de sucesso.

Kate Smith adotou o canto como principal objetivo na vida, mas começou mal. Algumas pessoas se dispunham a ouvi-la cantar, mas poucas queriam pagar pelo privilégio. Durante longos e desanimadores meses, ela cantou quando e onde encontrava plateia, com ou sem remuneração. Mas nada aconteceu até ela formar uma aliança de MasterMind com um agente, Ted Collins. Então, tudo mudou. Ela agora canta regularmente em uma rede nacional de rádio, e sua arte rende a ela mais dinheiro por apresentação do que muitos cantores ganham em um ano inteiro, apesar de a América ter uma horda de cantores desempregados, muitos deles, provavelmente, melhores que Kate Smith ou, no mínimo, iguais a ela.

Edgar Bergen e "Charlie McCarthy", seu irrepreensível "fantoche", trabalharam pela Broadway, em Nova York, por muitos anos, por qualquer compensação que conseguissem. Na maior parte do tempo, eram cavalheiros "em liberdade", como o povo do teatro costuma dizer quando fica sem emprego. Por acaso ou não, essa dupla hoje nacionalmente famosa foi descoberta por Rudy Vallée. Ele prontamente os apresentou em seu programa de rádio para a maior plateia que já tinham tido. Esse foi o ponto em que tudo mudou! A aplicação temporária do princípio do MasterMind, funcionando pela mente de Vallée e Bergen, deu o impulso necessário a um homem que hoje toda a América reconhece como um gênio em sua profissão, e seu valor disparou! Ele era um gênio antes de ser descoberto pelo mundo, mas isso não foi suficiente. Nunca é. Um homem pode fazer uma ratoeira melhor que a do vizinho, mas não se engane pensando que o mundo vai bater na porta dele, a menos e até que sua superioridade ganhe impulso por meio do princípio do MasterMind.

Jack Dempsey era um jovem desconhecido que às vezes lutava boxe. Ele não era habilidoso ou conhecido. Por um golpe de sorte, formou uma aliança de MasterMind com Jack Kearns, e pouco depois estava a caminho do campeonato mundial e de uma fortuna. Chegou o momento em que o MasterMind entre os dois homens foi rompido, e com ele se foi a popularidade de Dempsey como lutador e sua técnica. A história é bastante conhecida entre esportistas para justificar uma descrição dos detalhes aqui. O fato de maior importância a ser lembrado é que, quando o MasterMind é descartado, leva com ele as chances do indivíduo de sucesso permanente.

O reverendo Frank Crane era um pregador itinerante cujos sermões, como se ouvia em reclamações constantes, "mal rendiam o suficiente para manter juntos corpo e alma". Por sugestão de um homem que entendia o princípio do MasterMind, Frank Crane parou de pregar para pequenas congregações pessoais e começou a escrever sermões pequenos para imensas plateias invisíveis por meio de uma coluna publicada em centenas de jornais. O homem que o ajudou a comercializar seus sermões, por meio da aplicação do princípio do MasterMind, é autoridade pelo reconhecimento do rendimento anual de Crane, na época de sua morte, vários anos atrás, bem acima de US$ 75 mil, mais do que o presidente dos Estados Unidos recebia.

Seja qual for o objetivo principal definido de uma pessoa, seja administrar um grande império, seja fazer sermões, ela só terá sucesso relevante pela aplicação do MasterMind. Absorva essa verdade e você estará bem perto do ponto de partida do sucesso como talvez jamais conheceu antes.

O homem que vende mais seguros de vida que qualquer outro corretor no estado de Ohio já foi um condutor de bonde com pouca escolaridade, mas com um desejo insaciável de ser reconhecido como um homem famoso. Seu método de aplicar o princípio do MasterMind à venda de seguro de vida é interessante e educativo. Enquanto ainda trabalhava como condutor de bonde, ele se tornou estudante da Filosofia da Realização Americana. Antes de concluir o treinamento, ele se demitiu do emprego na companhia de bondes e começou a vender seguros.

Depois de capturar o espírito e o significado do princípio do MasterMind, ele começou nesse novo trabalho por intermédio de uma aplicação única desse princípio. Primeiro, fez alianças permanentes com várias lojas varejistas que vendiam móveis parcelados, e propôs que elas apresentassem uma apólice de seguro de vida, com o primeiro ano integralmente pago, a cada casal recém-casado que mobiliasse toda a casa em uma dessas lojas.

Depois ele fez alianças semelhantes com os vendedores de várias marcas de automóveis. Animado com o sucesso nesses campos, ele formou alianças com várias firmas de investimento que asseguravam a vida de todos que comprassem casas delas. Depois foi a vez dos bancos de poupança, que asseguravam a vida de todos os novos investidores que mantivessem certo saldo mínimo. No primeiro ano de suas operações, esse jovem ganhou muito mais do que a companhia de bondes pagou a ele durante os dez anos em que trabalhou como condutor. Ele hoje tem vários outros corretores trabalhando para ele em várias regiões do país, e dizem que sua renda é superior a um ano inteiro de rendimentos da companhia de bondes para a qual ele trabalhava.

Alguns fatos sobre esse homem explicam seu sucesso. Escolaridade e aparência eram fatores que, decididamente, não o favoreciam. Ele é um homem pequeno, magro, alguém que parece precisar, acima de tudo, de uma boa refeição. Em muitos aspectos, é inferior ao homem mediano, e sabe disso. Mas aqui vai o segredo de seu sucesso: a inferioridade foi transformada em um DESEJO ARDENTE por reconhecimento e fama, o motivo principal que o leva a trabalhar duro, com um espírito de persistência que não conhece o significado da palavra "impossível"!

Ele é totalmente destemido! Isso também é resultado de uma reconstrução mental da própria imagem, para compensar a falta de personalidade e a reconhecida inferioridade em vários outros aspectos. Ele trabalha com um objeto definido para todos os dias do ano, e mantém uma aderência rígida à cota de vendas que estabeleceu para si mesmo. É claro que ele faz o mais pleno uso do MasterMind. Fora isso, não tem traços que o distingam nem habilidade secreta. Sua realização pode ser duplicada com facilidade por não menos que seis mil outros corretores de seguros que tiveram o mesmo treinamento que esse rapaz recebeu, mas não apreenderam todo o significado e todas as possibilidades do MasterMind.

O reverendo Paul Welshimer, de Canton, Ohio, fez uma aplicação tão eficiente do princípio do MasterMind que organizou a maior Escola Dominical na América, com um total de mais de cinco mil membros associados. Seu método de aplicação do princípio era simples e interessante. Resumindo, consistia em um plano pelo qual ele fazia cada membro de sua igreja e cada membro de sua Escola Dominical um membro ativo de seu MasterMind. Ele dava a cada pessoa um papel a desempenhar, e com ele um motivo para o desempenho fiel do papel. Organizou os membros da igreja e os membros da Escola Dominical em uma série de comitês, e a cada um deu uma tarefa específica relacionada à expansão da influência da igreja. O segredo do sucesso de Welshimer pode ser explicado em uma breve frase: "Mantemos todos ocupados puxando", ele disse, "e ninguém tem tempo ou vontade de reclamar".

E o motivo que promoveu toda essa cooperação harmoniosa não foi mais que o desejo de cada membro de reconhecimento pessoal pelo trabalho bem-feito, fiel. O reconhecimento era dado em abundância. A igreja publicava um jornal semanal, que era impresso em gráfica própria. O jornal era dedicado inteiramente às notícias relacionadas aos membros da igreja e da Escola Dominical, seu trabalho e suas atividades sociais e familiares. Isso era motivo suficiente para garantir grande cooperação. Todos tinham a alegria de ver seu nome no jornal da igreja. Os que prestavam mais serviço tinham a alegria de ver também a foto ao lado do nome, de vez em quando.

"Um grande pregador!", alguns dirão sobre Welshimer. Mas a ironia de tudo isso é que mal se pode chamá-lo de pregador. Ele não é um bom orador. Seus sermões costumam ser áridos e pouco interessantes. Ele explica dizendo que, antes de entrar no ramo do sermão, trabalhava no comércio de alimentos. Mas ele é um ótimo organizador. Esse é o verdadeiro segredo por trás de suas realizações. Ele entende o princípio do MasterMind e trabalha com ele o máximo possível. Seu rebanho faz o resto. E fazem de boa vontade, se divertindo muito. Além do mais, eles ampliaram a igreja original, antes pequena, de uma sala só, até ela ocupar a maior parte de um quarteirão inteiro, incluindo o grande auditório público que as salas da Escola Dominical hoje ocupam.

A fama de Welshimer como homem da igreja se espalhou, e líderes da igreja e da Escola Dominical de quase todas as cidades dos Estados Unidos visitaram sua igreja interessados em saber o segredo de seu sucesso. Bem, o "segredo" é agora propriedade de qualquer outro líder de igreja que queira usá-lo. Consiste na aplicação inteligente do princípio do MasterMind. Mais nada.

Edwin C. Barnes, associado comercial do falecido Thomas A. Edison, deve muito de seu sucesso ao jeito único como aplicou o princípio do MasterMind ao comercializar o Ediphone, nome comercial para a máquina de ditado de Edison.

Na época em que ele começou a aplicação incomum desse princípio, sua força de vendas era formada por cerca de vinte homens. Ele entrou em uma aliança de MasterMind com várias empresas que vendiam móveis e suprimentos para escritório, equipamentos que facilitavam o trabalho, como calculadoras e máquinas de escrever, e por essa aliança os representantes de vendas dessas empresas praticamente se tornaram vendedores do Ediphone.

O arranjo determinava que os vendedores do Ediphone e os vendedores que representavam as firmas de máquinas de escrever e equipamentos para escritório trocariam favores fornecendo uns aos outros o nome de possíveis compradores de seus respectivos produtos, sem custo para ninguém.

O plano para pôr em prática o arranjo era simples, mas eficiente. Consistia em uma central telefônica operada pela telefonista da organização de Barnes, a quem os nomes dos possíveis compradores eram transmitidos todos os dias. Em suas visitas diárias, os vendedores de equipamento para escritório e das firmas de máquinas de escrever se mantinham atentos a empresas que pudessem precisar de Ediphones, especialmente as novas, que começavam a operar.

Esses vendedores telefonavam prontamente para a central telefônica e davam a informação.

Os vendedores de Ediphones também se mantinham atentos às empresas que pudessem precisar de qualquer tipo de equipamento para escritório, ou máquinas de escrever, e passavam a informação por telefone. De acordo com esse plano, todas as empresas que participavam da aliança de MasterMind tinham os serviços de um grupo de vendedores que não estavam em suas folhas de pagamento, mas cujos serviços eram, mesmo assim, muito lucrativos.

Dez anos de operação seguindo esse plano resultaram em um sucesso tão grande que Barnes conseguiu se aposentar com muito mais dinheiro de que precisava, e as empresas a que ele se aliou também se saíram muito bem, é claro.

Logo depois do fim da Primeira Guerra Mundial, uma jovem que anteriormente trabalhava como secretária particular muito bem remunerada perdeu o emprego, porque a empresa para a qual trabalhava faliu. Ela começou a procurar outro emprego, mas não encontrou nenhum que pagasse o salário que estava acostumada a receber. Enquanto procurava um novo emprego, ela se tornou estudante da Filosofia da Realização Americana.

Depois de ouvir apenas uma palestra sobre o princípio do MasterMind, ela fez uma descoberta que a capacitou para criar um negócio com o qual ganha mais de dez vezes o que ganhava antes como secretária particular.

Sua ideia era bem simples. Tendo desenvolvido uma agradável "voz de telefone" enquanto trabalhava como secretária, ela teve a ideia de transformar a voz em rendimento, oferecendo-a a certas categorias de empresas com possíveis clientes devidamente qualificados. No começo ela se especializou em fornecer possíveis compradores de seguro de vida, automóveis e imóveis. Mais tarde, acrescentou à lista de clientes lojas de departamentos e outras empresas relacionadas a uma ampla variedade de categorias.

Trabalhando com o catálogo de telefones, ela se comunicava com cada indivíduo relacionado em busca de informação suficiente para poder determinar com muita precisão os que eram consumidores em potencial para seus clientes. É claro que ela adotava uma abordagem de vendas para o uso do telefone que permitia determinar com precisão para quais clientes um indivíduo poderia ser um consumidor em potencial, e sua conversa de vendedora era planejada para qualificar cada pessoa com quem falava como um cliente em potencial ou alguém que não estava interessado em comprar.

Em um dia chuvoso, essa mulher esperta me telefonou em Washington, D.C., para minha casa. Falando com seu habitual "tom de voz de um milhão de dólares", ela perguntou se eu faria a cortesia de receber sua assistente, a Sra. Smith, no balcão número doze, no Departamento Masculino da Loja Woodward & Lothrop's, onde eu veria algo de que precisava, algo que, ela tinha certeza, eu queria, e algo pelo qual eu certamente ficaria grato a ela. Concordei com o encontro. A voz treinada da jovem e sua conversa bem reparada me fizeram aceitar a oferta. Ao chegar ao balcão número doze, me vi no fim de uma fila de mais de dez homens, todos esperando, como eu, para encontrar a misteriosa Sra. Smith e ver o que ela tinha para mostrar. Na frente da fila, a Sra. Smith estava ocupada mostrando capas de chuva aos homens da fila, e vendendo!

A única coisa que alguém pode controlar completamente é o próprio pensamento. Isso é muito significativo!

As vendas do dia somaram 156 capas, sem falar no belo lucro para a jovem inteligente com "voz de um milhão de dólares". Todos os homens na fila estavam ali com uma disposição favorável, mas um deles tinha uma informação que os outros desconheciam. Ele havia treinado aquela jovem na arte de vender por telefone. Seu nome era Napoleon Hill; o treinamento por ele oferecido à jovem estudante sobre o princípio do MasterMind tinha sido tão completo que ela o fisgou com a "isca" que era dele.

Essa jovem ampliou sua aliança de MasterMind com comerciantes e empresas treinando outras mulheres para qualificarem por telefone possíveis compradores de produtos, e agora ela tem organizações em várias das maiores cidades. Não há monopólio do plano. Como não há nada que impeça outras pessoas de adotá-lo, é possível que algumas o estejam usando. Sei de um corretor geral de uma seguradora que adotou o plano e o utilizou com tanta eficiência que aumentou as vendas de seus cinquenta corretores em mais de 40% no primeiro ano em que o pôs em prática. Ele mantém um telefonista sempre em ação, ligando para donas de casa e combinando com elas as circunstâncias para os corretores ligarem para seus maridos.

Alguns podem dizer que há uma grande distância entre a análise dos métodos de negócios de um sócio de Thomas A. Edison e uma descrição das técnicas de vendas de uma operadora de telefone; mas o propósito deste capítulo é mostrar como o princípio do MasterMind pode ser usado em todas as ocupações, desde as maiores até as mais humildes.

Retorno agora a uma análise do MasterMind como foi aplicado pelo mais distinto industrial americano, Henry Ford, o homem cujas estupendas realizações foram tão habilmente previstas há mais de trinta anos por Andrew Carnegie. Não será feita nenhuma tentativa de descrever todos os métodos com os quais Ford usou o MasterMind, mas vou analisar duas importantes aplicações que ele fez desse princípio, ambos assuntos de registro público.

Primeiro volto ao ano de 1914, quando Ford chocou todo o mundo industrial anunciando que dali em diante pagaria a todos os seus diaristas um salário mínimo de cinco dólares por dia, independentemente de suas funções. O salário que prevalecia naquela época para funções semelhantes às desempenhadas pela maioria dos empregados de Ford era de dois dólares e meio por dia. Outros líderes industriais manifestaram desaprovação em relação à política de salário mínimo de Ford, e muitos profetizaram que ela o levaria à falência.

Vamos analisar o histórico para saber que efeito essa política teve, de fato, em seus negócios. Mais importante que tudo, talvez, isso reduziu o custo de mão de obra, em vez de elevá-lo, porque os trabalhadores passaram a trabalhar mais e melhor que antes.

Também melhorou a "atitude mental" com que trabalhavam, elevando, portanto, o moral de todos. Desse novo espírito de cooperação harmoniosa surgiu um entendimento entre Ford e seus homens que praticamente o blindou contra problemas legais, já que ele tinha dado aos empregados salários mais altos e melhores condições de trabalho do que qualquer líder trabalhista teria tido a coragem de pleitear; e vamos lembrar que mais de vinte anos depois, quando agitadores decidiram romper o espírito de cooperação entre Ford e seus funcionários, receberam pouco incentivo.

A aliança de MasterMind que Ford estabeleceu entre ele mesmo e seus homens, por meio de sua política de salário mínimo, em outros aspectos coincidente com essa política, tem sido um dos fatores mais fortes de seu estupendo sucesso, da mesma forma que foi essa política que permitiu a ele reduzir o preço de seus automóveis ao longo dos anos, enquanto outros fabricantes aumentavam os preços de seus produtos.

Muito antes de Ford adotar o princípio do MasterMind como um meio de garantir melhor cooperação de seus funcionários, ele o pôs em uso em outra direção que teve repercussões muito mais amplas que afetaram todos os seus negócios, e que possibilitou que ele controlasse sua indústria sem ir buscar capital de giro no mercado financeiro profissional.

O método pelo qual ele levantou esse capital foi prático e simples, como foram, de fato, todos os métodos de Ford nos negócios. Consistiu em uma aliança de MasterMind entre ele e os distribuidores de seus automóveis, pela qual ele providenciou que esses distribuidores se obrigassem a comprar um número definido de automóveis todos os anos a preço de atacado, e pelos quais faziam um pagamento adiantado de uma porcentagem combinada do valor de compra de cada automóvel, ficando o restante a ser pago na entrega dos carros. O adiantamento era suficiente para dar a Ford o capital de giro necessário para a produção de seus automóveis. Portanto, não foi necessário pedir empréstimo ou vender ações da empresa.

O valor de mercado desse método de financiamento foi estupendo, e ele consiste em um princípio muito sutil de psicologia de vendas que poucas pessoas pararam para analisar, a saber: Ford obteve seu capital de giro na mesma fonte que comprava toda a produção de sua fábrica. De acordo com esse plano, seus distribuidores ocupavam a posição única equivalente à de um sócio de Ford; um relacionamento que fazia desses distribuidores compradores e vendedores de toda a produção, além de provedores do necessário capital de giro para a produção dos carros. Essa estratégia de financiamento livrou Ford de um trabalho caro de vendas, e ainda deu a ele o capital de giro necessário, sem submetê-lo ao controle de financeiras profissionais.

Até onde sabe o autor, Ford é o único operador industrial em larga escala que teve a visão de relacionar o financiamento de um negócio à distribuição de seu produto de tal forma que esses dois importantes fatores sejam assegurados pela mesma fonte. Essa é uma aplicação do MasterMind de grande importância econômica. O método ortodoxo comum de financiamento de grandes organizações industriais ou empresariais negligencia completamente o famoso plano de Ford de relacionar-se com seus financistas e os compradores de seu produto.

As circunstâncias desse plano garantiram a ele a mais plena cooperação na administração de seu negócio. O procedimento habitual na administração de operações industriais é garantir capital de giro de um grupo de pessoas (geralmente pela venda de ações) e vender os produtos a outro grupo inteiramente diferente. Nesse caso, os proprietários do negócio têm pouco em comum com as pessoas que compram seu produto. No plano de Ford, todos que participam em alguma medida do negócio têm um motivo definido para cooperar com ele.

Comenta-se que alguns distribuidores de Ford reclamaram de sua política de obrigá-los a comprar uma cota regular de automóveis e pagar adiantado por uma parte dessa compra. A melhor resposta a essa queixa, do ponto de vista de Ford, é o fato de todas as franquias de distribuidores Ford no mundo serem um bem que pode ser convertido em dinheiro a qualquer momento; portanto, conclui-se que a política pela qual Ford se relaciona com seus distribuidores deve ser, de maneira geral, muito lucrativa para eles, tanto quanto para ele mesmo.

O jeito Ford de aplicar o princípio do MasterMind se estende muito além da aliança que ele tem com seus distribuidores e funcionários imediatos. Ele se projeta para quase todas as regiões habitadas do mundo, e abrange uma maioria de milhões de homens e mulheres que possuem e dirigem seu automóvel.

Por meio dessa aliança com o público, e é uma aliança voluntária do ponto de vista do público, Henry Ford ocupa, provavelmente, mais espaço amigável na mente do povo americano do que qualquer outro industrial vivo. Esse bem em forma de boa vontade é um tipo de riqueza que não se pode calcular em meros extratos bancários, automóveis e máquinas. É algo que pode ser convertido em dinheiro, e é maior e mais duradouro que qualquer coisa material.

Se Henry Ford fosse destituído de cada dólar que possui, e cada uma de suas fábricas de automóvel fosse queimada, e se ele fosse privado de todos os outros bens materiais que tem, ele ainda seria mais rico que Creso, porque poderia converter boa vontade em todo o capital necessário para uma recuperação, tão rápido quanto seria mandar uma mensagem para seus milhões de amigos no mundo. Eles ofereceriam o dinheiro, até o último centavo que tivessem, se necessário, e investiriam em... em quê? Bem, investiriam em sua confiança em Henry Ford.

Que lição Ford dá a todos que se dedicarem a entender como e por que ele alcançou sucesso tão abundante! A maioria das pessoas olha para Ford hoje no topo da lista das grandes fortunas do mundo e não vê mais que um homem que teve "sorte". Se a verdade fosse conhecida, e ela é conhecida por poucos, nenhuma parte das aquisições de Ford seria atribuída à sorte, nem a "momentos favoráveis", nem a qualquer outra coisa, exceto uma aplicação inteligente da Filosofia da Realização Americana.

A pedido insistente de Andrew Carnegie, o autor começou, há mais de trinta anos, a estudar Henry Ford e sua filosofia de vida. Essa observação pessoal do rei do automóvel começou muito antes de Ford ser reconhecido como o maior líder industrial do mundo. Portanto, tive uma oportunidade de observar o método, passo a passo, pelo qual um homem começa do nada, com pouquíssima escolaridade, sem nenhuma forma de reconhecimento público de sua singular habilidade, quase sem dinheiro suficiente para continuar, e consegue chegar finalmente à posição de maior industrial do maior país industrial do mundo.

Por causa dessa extraordinária análise de Henry Ford, que abrange a maior parte de sua vida de empresário, dei aos estudantes dessa filosofia uma descrição precisa da porção vital da filosofia de Ford que nunca teria sido conhecida sem seu estudo atento do homem e seus métodos nos negócios. Em nenhum lugar, em nenhum livro sobre Henry Ford já publicado, algum escritor revelou os segredos que sabemos ser verdadeiros sobre o impressionante sucesso de Henry Ford como foram descritos por mim.

Henry Ford tem suas deficiências! Mas é significativo que ele tenha tido sucesso, apesar de todos os erros que cometeu. Vale notar também que seus enganos, até onde se sabe, parecem ter estado sempre do lado da precaução e do conservadorismo. O maior erro dele, talvez, foi ter adiado a mudança dos modelos de seus automóveis de tempos em tempos, em concordância com a tendência popular para dar mais beleza aos automóveis, mas sua capacidade de recuperação a partir dos resultados de seus erros era tão grande que ele absorveu as perdas sem prejudicar com gravidade as finanças ou perturbar o relacionamento harmonioso com o público e sua confiança nele.

Dedico-me agora à descrição do princípio do MasterMind como foi e pode ser aplicado a ocupações variadas, e a apresentar Elmer R. Gates e Alexander Graham Bell, os grandes cientistas americanos que Andrew Carnegie me orientou a procurar em busca de colaboração para a organização da Filosofia da Realização Americana. As realizações desses dois homens são muito conhecidas pela maioria das pessoas americanas, o que torna desnecessária uma descrição detalhada de seu trabalho. O Dr. Bell foi o inventor do telefone, e a ele foram creditados outros feitos de grande valor para a humanidade.

O Dr. Gates detinha patentes de mais invenções que qualquer outro inventor americano, inclusive Thomas A. Edison e o Dr. Bell. Ele se especializou no estudo dos fenômenos mentais e deu valiosas contribuições ao escasso corpo de conhecimento que o mundo adquiriu sobre esse assunto.

Ao longo de mais de três anos, esses homens colaboraram comigo na organização dessa filosofia, dividindo tudo que tinham aprendido sobre os mistérios da mente humana. Se Andrew Carnegie não tivesse tido a previdência de me mandar estudar com esses dois homens, a maior parte de suas impagáveis descobertas em relação ao funcionamento da mente teria se perdido para o homem, porque nenhum deles deixou mais que meros fragmentos de suas descobertas para serem usados por outras pessoas. E mesmo esses fragmentos foram registrados de forma a serem compreensíveis apenas por homens da ciência.

Apresento agora o Dr. Elmer R. Gates, que fala por si mesmo e pelo Dr. Bell, e entrego ao leitor sua análise do MasterMind e de outros princípios de funcionamento da mente, usando sua terminologia na medida do possível, como ele os descreveu para mim.

HILL: Andrew Carnegie sugeriu que eu viesse procurá-lo para pedir sua cooperação na iniciativa de dar ao povo americano uma filosofia prática e funcional de realização individual baseada em experiências de líderes empresariais e industriais, e nas descobertas de homens da ciência, como você. Então, pode me contar os pontos de destaque de sua pesquisa no campo dos fenômenos mentais, tendo em mente que está falando para o benefício de homens e mulheres que, em muitos casos, não tiveram uma oportunidade de adquirir conhecimento científico da psicologia, e para alguns cuja escolaridade não foi além do ensino médio?

GATES: Sua solicitação é muito ampla, mas vou responder da melhor maneira que puder. Por onde começamos?

HILL: Em primeiro lugar, queria comparar com você anotações sobre o assunto do princípio do MasterMind que Carnegie descreveu como a maior fonte de suas realizações. Ele definiu esse princípio como "Coordenação de duas ou mais mentes trabalhando em perfeita harmonia pela realização de um objetivo definido". De acordo com a explicação de Carnegie para esse princípio, ele parece ser o único meio conhecido de contato por intermédio do qual se pode usar o grande reservatório de poder espiritual disponível a toda a humanidade, bem como o princípio pelo qual um indivíduo pode se apropriar e usar conhecimento, experiência, educação e capacidade estratégica e criativa de outras pessoas.

GATES: Sim, sei exatamente o que você quer. O Dr. Bell e eu passamos muitos anos experimentando esse princípio. É claro que será um prazer permitir que você se beneficie plenamente do que aprendemos sobre ele; mas preciso avisar desde o início, não tire conclusões em relação ao estudo que faz desse estudo até ter uma visão completa de tudo que foi aprendido sobre ele. Dr. Bell e eu não afirmamos ter adquirido conhecimento mais que superficial sobre esse assunto, mas fomos longe o bastante para nos convencermos de que ele abre o caminho para o acesso a uma fonte de conhecimento que não pode ser usada, exceto por sua aplicação. Além disso, também chegamos à conclusão de que a civilização nunca chegará ao seu mais alto objetivo até que o conhecimento do princípio do MasterMind seja propriedade comum a todos os povos do mundo.

Não se assuste com esse alerta, porque espero fornecer a você toda informação que adquiri sobre o assunto do MasterMind em termos que qualquer pessoa possa entender.

Primeiro, talvez eu deva explicar os dois fatores que acredito serem de principal interesse em relação ao princípio do MasterMind:

(a) Quando duas ou mais mentes se juntam e suas forças se combinam para a realização de um objetivo definido, a combinação tem o efeito de estimular cada mente individual de forma a torná-la mais alerta, mais imaginativa e mais ativa no uso da fé que um indivíduo obtém quando sua mente funciona de maneira independente. Esse fato (e sabemos, além de qualquer espaço para dúvida, que é um fato) é da maior importância, porque sugere uma abordagem prática pela qual um indivíduo pode superar os poderes da própria mente com uma forma de inteligência que não reconhece limites. O estímulo mental extra que cada indivíduo recebe por meio desse tipo de aliança harmoniosa com outras mentes pode ser muito aumentado pelo simples procedimento de discutir o objeto da aliança e qualquer forma de ação que leve à realização do propósito da aliança. Parece que uma reunião de mentes, acompanhada por ação definida com o propósito de alcançar algum objetivo definido, tem o efeito de desenvolver em cada indivíduo a fé necessária para chegar ao sucesso.

Foi esse tipo de aliança entre mentes que deu à luz o espírito determinado que conduziu os exércitos de George Washington à vitória contra todas as probabilidades. E é esse tipo de aliança entre mentes que dá à nossa forma americana de governo seu poder estupendo para se manter e defender contra todos os inimigos. Também é o mesmo tipo de aliança que estabeleceu o grande sistema industrial da América, nosso sistema bancário e as outras instituições que distinguem nosso país de todos os outros.

(b) A outra característica do MasterMind se estende muito além do relacionamento do indivíduo com as circunstâncias mentais e coisas da vida, e dá a ele fácil acesso às forças da inteligência infinita, de onde e por onde se pode recorrer a uma fonte de conhecimento que parece abranger todas as leis da natureza! Parece que essa fonte de superconhecimento se torna disponível apenas àqueles indivíduos inspirados e motivados por uma vontade de ajudar a humanidade a se elevar a um patamar mais alto de inteligência, e nunca é alcançada por aqueles motivados apenas pelo desejo de engrandecimento pessoal em relação às coisas materiais. Como prova da solidez dessa teoria (e, sim, não digo que é mais que uma teoria), note a regularidade com que o cientista, que lida apenas com leis que governam as coisas materiais, chega ao fim do caminho, onde é detido por uma parede de pedra além da qual nenhuma lei da física pode levá-lo. Só o filósofo, o metafísico e o indivíduo que abre mão das leis da física em prol da lei maior da fé parecem ser capazes de escalar essa parede. Algumas vezes assumi tanto o papel do cientista que segue as leis físicas quanto o do filósofo que ultrapassa a parede no fim do beco tendo a fé como guia. Portanto, posso falar por observação pessoal, e digo que existe uma fonte de conhecimento disponível a toda a humanidade somente pela abordagem da fé.

E aqui podemos definir fé como um "estado mental no qual um indivíduo descarta todas as limitações da própria razão, ou força de vontade, e abre a mente para a orientação divina de seus esforços em direção à realização de um objetivo definido".

Minhas experiências com o princípio do MasterMind me convenceram de que um indivíduo trabalhando com outras mentes por meio de harmonia pode alcançar mais depressa o estado mental no qual projeta o poder de sua mente além dos limites da própria razão e vontade, mais do que poderia fazer se agisse de forma independente. Até os animais de inteligência inferior, como os cachorros, ganham coragem e iniciativa quando são orientados pelo espírito da matilha. Um cachorro, por exemplo, pode não pensar em matar uma ovelha por iniciativa própria; mas se esse mesmo cão se junta a uma matilha cujo líder está determinado a matar ovelhas, vai se dedicar à atividade com crueldade e sem hesitação. A mesma tendência pode ser vista entre meninos, e é claro que está presente também entre os homens. Esforço de massa, trabalho em equipe, colaboração entre homens que agem em conjunto em espírito de harmonia dão ao indivíduo um incentivo para agir que não vem de nenhuma outra origem.

Há ainda outra característica do princípio do MasterMind digna de análise. É o fato de um indivíduo cuja mente foi "aumentada" pelo contato com outras mentes em uma reunião de MasterMind se tornar consciente de uma forma de estimulação mental que beira a intoxicação, e essa condição costuma se manter por muitas horas depois do fim da reunião. A mente, quando atua nesse estado de intoxicação, entra com facilidade e naturalidade naquela condição de abertura em que o estado mental conhecido como fé começa a se manifestar. Como prova disso, observe o estado mental do vendedor que participou de uma reunião de motivação na qual um líder dinâmico levou o grupo a um pico de entusiasmo, e vai perceber que todo vendedor leva com ele uma porção de coragem muito maior que aquela que tinha ao entrar na reunião. Aqui você tem a dica de como gerentes de vendas bem-sucedidos conseguem resultados. O homem que sabe estabelecer uma conexão com a mente de seus vendedores é sempre o gerente de vendas mais capaz, embora ele mesmo possa ser um vendedor pouco capacitado. Aqui também está a dica para todos os homens em todas as áreas que desejam projetar a própria influência em qualquer empreendimento por meio da aliança com outras mentes. Nem sempre o religioso que pode pregar o sermão mais interessante é o melhor líder da igreja. O verdadeiro líder é o homem que consegue reunir seus seguidores em espírito de cooperação harmoniosa pela qual os induz a pensar e agir como uma só mente.

Veja Andrew Carnegie, por exemplo. Analise sua personalidade, estude seu histórico educacional e o avalie como quiser. No fim, você vai ter que concluir que, em muitos aspectos, ele é só um homem comum. Observe seu método de se relacionar com os membros de seu grupo de MasterMind e aqui você vai encontrar o segredo de seu poder. Ele sabe como induzir os homens a se unirem mentalmente e trabalharem juntos como um só, subordinando inteiramente os próprios interesses e ideias pessoais ao benefício do grupo. Esse é todo o segredo do impressionante sucesso de Carnegie como líder de indústria. Ele seria um líder igualmente eficiente em qualquer outro segmento de ação, como é no ramo do aço, porque descobriu que o segredo de todo grande poder pessoal reside na aliança harmoniosa entre mentes.

HILL: Você diz, Dr. Gates, que um indivíduo que se torna mentalmente estimulado pela associação com outras mentes, em uma reunião de MasterMind, leva com ele os efeitos da estimulação por algum tempo depois da reunião. Quer dizer que a mente de um indivíduo se torna e permanece mais alerta por um tempo, de forma que ele possa usá-la com mais eficiência depois de submetê-la à influência do MasterMind, embora atue de maneira independente?

GATES: Sim, é exatamente isso. Em alguns casos, essa estimulação dura poucas horas. Em outros, pode durar vários dias; em casos raros, várias semanas.

HILL: Então é necessário que o líder de um grupo de MasterMind se mantenha em contato próximo com os membros de sua aliança se quiser obter dela os benefícios desejados?

GATES: Ah, sim! Com certeza. Observe com que regularidade Carnegie e outros líderes de seu calibre se reúnem com os membros de sua equipe. Negligenciar essa prática pode tornar a aliança de MasterMind impotente. Não se deve presumir que o fato de um homem se associar a outros dará a ele todo o benefício da mente de todos, a menos que ele se mantenha em contato quase contínuo com essas mentes e mantenha sua aliança ativa por meio de discussão, planejamento e ação! Aqui, como em todos os outros lugares da natureza, a lei da vida é desenvolvimento e crescimento pelo uso!

A natureza desestimula vácuos e inatividade. As melhores cabeças são aquelas mais usadas.

O mundo todo segue de boa vontade o homem que mostra por suas atitudes que sabe exatamente o que está fazendo.

HILL: É verdade ou não, Dr. Gates, que Andrew Carnegie, Thomas A. Edison e outros de posição reconhecida em seus campos de atuação nasceram com capacidade mental superior à da pessoa mediana? Não é essa a razão pela qual superaram a maioria dos homens?

GATES: Sua pergunta não pode ser respondida com inteligência sem proteger a resposta com muitas modificações – se, mas e talvez! Vou responder da única maneira possível, primeiro categoricamente, dizendo que o complexo e misterioso maquinário do cérebro humano é tal que ninguém ainda foi suficientemente astuto para analisar qualquer cérebro por qualquer padrão de medida de suas capacidades. Sabemos que um homem como Thomas A. Edison chegou ao mundo com um cérebro tão aparentemente abaixo do normal que seus professores o mandaram para casa depois de três meses de esforço aparentemente inútil para ensinar a ele os fundamentos simples de uma educação escolar comum, com o veredicto de que ele "não tinha a inteligência necessária para ser educado". Diante dessa história verídica, somos forçados, pelas demonstrações de poder que ele deu ao mundo mais tarde valendo-se do mesmo cérebro, a admitir que tudo que sabemos de verdade sobre o cérebro é que não sabemos nada! Com isso não pretendo ser engraçado ou fugir da pergunta. Quero apenas ser honesto. Porém, não seria totalmente justo se não chamasse atenção para o fato igualmente importante de a natureza, às vezes, trazer ao mundo indivíduos cuja capacidade para absorver conhecimento (desde os tenros anos da infância) força o mundo a reconhecê-los como prodígios. Eu diria que todo cérebro nessa categoria tem possibilidades de desenvolvimento e uso que vão muito além de qualquer coisa que o cérebro mediano jamais alcance. Pegue os indivíduos que se enquadram nessa classificação e alcançam realizações muito acima do que é habitual, analise-os com cuidado e vai ficar impressionado por saber que ele atribui suas realizações ao estímulo de algum motivo que o fez assumir o comando da própria mente e usá-la intensamente.

HILL: Agora está chegando bem perto de responder à pergunta que muito me interessa. Essa questão, sem dúvida, vai interessar a muitas outras pessoas que tentam fazer melhor uso de suas habilidades natas para a solução de variados e complexos problemas da vida. Essa pergunta é: onde fica e qual é o ponto de partida para se tomar o comando da própria mente de forma a usá-la melhor para ganhar a vida?

GATES: O começo de toda realização é definição de objetivo baseada no motivo ou incentivo correto para influenciar alguém a fazer um esforço extraordinário!

HILL: É uma resposta muito breve para uma questão de tamanha importância, Dr. Gates. Pode ampliar um pouco sua resposta para torná-la um guia mais definido para o homem que está tentando encontrar um lugar onde possa assumir o comando de sua mente?

GATES: Eu expandiria a resposta em volumosas palavras e ilustrações, mas duvido que isso possa torná-la melhor. A verdade é esta: um homem pode fazer praticamente tudo que decidir fazer.

A medida em que ele se decide é totalmente uma questão de motivo. É muito mais importante para um homem se tornar profundamente inspirado com um motivo definido do que ser brilhante, ou altamente educado. Motivo dá aos homens visão, imaginação e iniciativa, autossuficiência e definição de propósito. Com essas qualidades mentais, mais o uso do princípio do MasterMind, pelo qual se pode tomar emprestadas de outras pessoas educação, experiência e capacidade, um homem pode superar todas as limitações e alcançar praticamente todos os objetivos que se dispuser a alcançar.

Uma coisa é certa. Não há nada que indique que a maioria dos homens de grandes realizações financeiras e profissionais seja mais que o homem mediano em relação a inteligência e capacidades cerebrais. Estude esses homens onde os encontrar e convença-se dessa verdade. Essa coisa que chamam de genialidade normalmente é um mito. Quando os observamos de perto, os chamados gênios frequentemente são só definição de objetivo amparada por motivo forte.

HILL: Suas afirmações são impressionantes, Dr. Gates. E também são muito tranquilizadoras para nós, que nos reconhecemos como pessoas medianas, especialmente os que têm pouca escolaridade. Posso citar tudo que disse?

GATES: Sim, cite! Pode ser útil se todos os homens superarem essa falsa crença de que sucesso é para poucos; que esses poucos são abençoados com alguma forma misteriosa de capacidade superior. Não sou agente autorizado para falar pelo Criador, mas não posso deixar de pensar que, se Ele não pretendesse que as bênçãos do mundo fossem apropriadas e usadas pelo "homem mediano", não teria feito tantos homens medianos!

E sou, por experiência, impressionado pelo fato inescapável de que as maiores realizações conhecidas pela civilização foram trabalho manual de homens medianos! Por mais paradoxal que possa parecer, preciso chamar atenção para o fato de que um verdadeiro grande homem é só um homem mediano que descobriu a própria mente e assumiu o comando dela.

Espero que minha franqueza não o desiluda. Se veio me procurar com a expectativa de me ouvir dizer que o gênio nasce pronto, não que é feito pela descoberta e uso da própria mente, essa é justamente a ideia que quero desencorajar.

> *Cada adversidade é uma bênção disfarçada, desde que ensine alguma lição que não teríamos aprendido sem ela.*

HILL: Você me surpreendeu, Dr. Gates, mas não me desiludiu, porque vim até aqui com a esperança de aprender, a partir de suas experiências sobre o funcionamento da mente, exatamente o que acabou de me dizer. Vai ser um prazer confirmar para cada pessoa que se tornar um estudante da Filosofia da Realização que você está certo quando diz que definição de objetivo, amparada por um motivo intenso, é mais importante que brilhantismo. Vindo de você, um homem com uma ampla gama de experiências relacionadas ao poder da mente, essa afirmação pode dar esperança e propósito a muitos que, de outra forma, poderiam perder a esperança de realização pessoal.

Isso concluiu minha entrevista com Elmer Gates, e suas observações são um depoimento apropriado do poder do princípio do MasterMind, e uma conclusão adequada a este capítulo

Nada traz felicidade duradoura, exceto aquilo que ajuda outras pessoas a encontrá-la.

CAPÍTULO 3

FAZER UM ESFORÇO EXTRA

É fato muito conhecido que os homens que se tornam indispensáveis em qualquer trabalho, negócio ou profissão geralmente determinam o próprio preço, e o mundo paga o valor estipulado.

Este capítulo trata de um assunto que, mais que todos os outros, descreve o método pelo qual o indivíduo pode se tornar indispensável. Portanto, este conteúdo pode ser de valor incalculável a todos os leitores que ganham a vida prestando serviço.

Reduzido a termos mais simples, fazer um esforço extra significa prestar mais e melhor serviço do que se é pago para fazer. Quando adotado e seguido como hábito, esse princípio dá ao indivíduo o benefício da lei dos retornos aumentados. Colocado de forma inversa, deixar de aplicar esse princípio como hábito causa prejuízo de acordo com a lei dos retornos diminuídos.

Um homem que se engajou de maneira destacada no negócio de ajudar homens e mulheres a comercializar seus serviços pessoais da forma mais vantajosa disse uma vez que a severa observância do hábito de fazer mais do que aquilo pelo que se recebe é um método imbatível pelo qual um indivíduo pode promover-se a qualquer posição que seja capaz de ocupar.

Na medida em que Andrew Carnegie fundou a grande organização industrial nos Estados Unidos, a United States Steel Corporation, e ao longo da carreira se tornou um dos maiores empregadores, suas opiniões sobre o assunto neste capítulo devem ser muito úteis para o leitor.

Não só Carnegie empregou muita gente, mas, sabe-se muito bem, também foi um dos melhores juízes de caráter dos Estados Unidos. Acredita-se que ele ajudava os empregados a se relacionarem entre si e com o trabalho de maneira tão eficiente que fez mais milionários que qualquer outro industrial americano, tornando-se, portanto, uma autoridade em meios e maneiras de comercializar seus serviços com o máximo proveito.

Vale notar também que os mais de quinhentos líderes da indústria e comércio que colaboraram com a organização da Filosofia da Realização Americana enfatizaram a importância de prestar mais e melhor serviço do que aquele pelo qual se é pago seguindo, eles mesmos, esse hábito.

Chamo a atenção para esses fatos no começo do capítulo por causa da ampla e crescente tendência do povo americano a reverter esse princípio prestando o mínimo e o pior serviço possível.

A lei econômica impede que qualquer homem receba por muito tempo de um emprego ou empreendimento comercial mais do que dedica a eles. Essa lei não foi criada inteiramente pelo homem. Tem raízes nas leis da natureza, já que há evidências no reino da natureza de que ela reprova qualquer tentativa de obter alguma coisa em troca de nada, ou por menos que seu valor.

Os que respondem a esse aviso certamente descobrem que, mais cedo ou mais tarde, serão recompensados adequadamente por sua sabedoria, e a resposta virá na forma de uma recompensa muito maior do que o valor dos serviços que prestam. A compensação consiste não só de ganho material, mas ficará evidente na maior força de caráter, na atitude mental melhorada e no desenvolvimento de autossuficiência, iniciativa, entusiasmo e reputação que criam um mercado duradouro por seu serviço.

Existe uma tendência crescente por parte de um grande número de pessoas americanas ao hábito de tentar conseguir alguma coisa em troca de nada. Essa tendência perigosa começou no fim da Primeira Guerra Mundial e tem sido tão definitivamente intensificada ao longo dos últimos anos que agora ameaça minar todo o estilo de vida americano.

A tendência já começou a se retrair na fundação da indústria americana, que é a maior fonte de emprego.

Nenhuma indústria pode funcionar com sucesso se homens se agrupam em blocos e, pela força da superioridade numérica, ou por coerção, forçam a elevação dos salários, enquanto a qualidade e a quantidade dos serviços que prestam diminuem. Há um limite além do qual essa prática não pode ser mantida sem falir a indústria, e esse limite está para ser atingido.

Enquanto escrevo este capítulo, os Estados Unidos enfrentam sua maior crise desde aquela que deu origem a esta nação, 165 anos atrás. Estamos no início de um grande programa de Defesa

Nacional que depende inteiramente de uma indústria americana. O programa não pode ser executado com sucesso por homens que exigem de maneira egoísta um dia inteiro de salário por um dia ruim de trabalho.

Se já houve um tempo em que cada americano leal deveria fazer mais do que é pago para fazer, esse tempo é agora. A presente emergência exige que o povo da América esqueça seus interesses egoístas e se dedique integralmente ao trabalho de salvar seu direito à liberdade.

Vivemos o tempo em que cada cidadão é convocado a fazer mais do que é pago para fazer, não só para promover seus interesses privados, mas também para contribuir com sua parte para a salvação da forma americana de democracia que provê a todos nós o privilégio de liberdade individual.

O hábito de fazer um esforço extra é, e sempre foi, o foco de toda promoção pessoal. Nenhum sucesso digno de nota jamais foi alcançado sem que esse hábito fosse seguido. Mas agora chegou a hora em que devemos fazer o esforço extra para salvar a instituição do americanismo.

Se queremos continuar desfrutando de um sistema de governo que nos deu o mais elevado padrão de vida conhecido pela civilização, temos que proteger as pedras fundamentais desse governo e torná-las seguras. Essa é uma tarefa que torna o esforço extra não só desejável, mas também absolutamente necessário.

Os que não têm a ambição de fazer mais do que o serviço pelo qual recebem como uma forma de autopromoção devem adotar esse hábito como medida de autoproteção. Podemos não querer luxo, mas certamente não descemos tanto a ponto de não querer liberdade.

Liberdade, como tudo que vale a pena ter nesse mundo, tem um preço. Não podemos comprar liberdade fazendo o mínimo possível e exigindo um retorno por isso, os frutos da liberdade. Não, vivemos um tempo em que ou o povo americano toma para si e aplica o espírito dos pioneiros que arriscaram vida e fortuna para nos dar liberdade, ou mais uma vez se verá nos grilhões de uma ditadura estrangeira que nada sabe sobre justiça e liberdade.

Nesse assunto não pode haver meias medidas, nem apaziguamento, nem concessão. Estamos encurralados e só há um jeito de conseguirmos nos mover: fazendo o esforço extra com um espírito de determinação que não conhece o que é fracasso.

Não podemos continuar sendo "o país mais rico e mais livre do mundo" sem pagar pelo privilégio. Nada é de graça. Ou pagamos pelo que queremos, ou aceitamos o que nos é imposto!

Portanto, durante a leitura deste capítulo, reflita e decida fazer o esforço extra para apoiar algo mais profundo que a promoção de seus interesses pessoais.

Enquanto isso, você aprende uma grande lição sobre autopromoção que vai ser útil pelo resto de sua vida, como foi útil a Andrew Carnegie e a todos os outros que converteram a oportunidade americana em grandes riquezas.

Preste mais e melhor serviço do que concordou em prestar, e muito em breve estará recebendo muito mais do que recebe.

Por trás das linhas desta lição há um segredo de realização que foi descoberto por Andrew Carnegie e revelado ao homem a quem ele pediu que o segredo fosse contado somente àqueles conhecidos por terem outras qualidades essenciais ao sucesso, sem as quais poderia ser perigoso.

Esse mesmo segredo era conhecido por homens bem-sucedidos que contribuíram para a organização dessa filosofia. Não é provável que qualquer leitor descubra o segredo, exceto pelo hábito de fazer o esforço extra, caso em que ele se revela em algum momento ao longo do caminho, talvez em um tempo e lugar inesperados.

No começo de uma manhã gelada, há uns vinte e poucos anos, o vagão privado de Charles M. Schwab foi desviado para o trilho secundário em sua usina de aço na Pensilvânia.

Quando saiu do vagão, ele encontrou um homem que explicou que era estenógrafo na siderúrgica e que havia ido receber o vagão na esperança de poder ser útil a Schwab de alguma forma.

"Quem lhe pediu para vir me encontrar aqui?", perguntou Schwab.

"A ideia foi minha, senhor", respondeu o rapaz, "e eu sabia que chegaria no trem da manhã porque entreguei o telegrama que informava sua chegada. Trouxe meu caderno, senhor, e será um prazer anotar todas as cartas e os telegramas que possa querer enviar."

Schwab agradeceu ao rapaz pela consideração, mas disse que não precisava de nada no momento, embora pudesse mandar chamá-lo mais tarde. E mandou! Quando o vagão particular voltou a Nova York naquela noite, levava nele o jovem que ia para a cidade por designação de Schwab, para trabalhar no escritório do magnata do aço.

O nome desse rapaz é Williams; ele foi promovido de um cargo a outro na organização até ter ganhado e economizado dinheiro suficiente para abrir um negócio próprio, e mais tarde ele fundou uma indústria farmacêutica da qual é presidente e acionista majoritário.

Nada muito dramático ou interessante nessa breve história? Bem, a resposta depende inteiramente do que se chama de drama. Para todo homem que está procurando seu lugar no mundo, essa história, se analisada com cuidado, transmite o mais profundo tipo de drama porque descreve a aplicação prática de um dos mais importantes princípios da realização individual: o hábito de fazer o esforço extra!

Eu disse que esse homem foi promovido de um cargo a outro na siderúrgica. Vamos descobrir como ele conseguiu essa autopromoção para aprender como outros podem tirar proveito de sua técnica. Vamos descobrir, se possível, o que o jovem Williams tinha em termos de habilidade que faltava aos outros estenógrafos no escritório geral da siderúrgica, e que o fez ser escolhido por Schwab e levado para seu escritório pessoal.

Temos a palavra de Schwab de que o jovem Williams não tinha uma única qualidade que justificasse classificá-lo acima da média para um estenógrafo, mas tinha uma qualidade. Uma qualidade que ele desenvolveu por iniciativa própria e praticou como um hábito inviolável que poucas pessoas têm, e que era o hábito de prestar mais e melhor serviço do que aquele pelo qual era pago.

Foi esse hábito que permitiu a ele se promover! Foi esse hábito que chamou a atenção de Schwab. Foi esse hábito que o ajudou a se tornar a cabeça de uma corporação da qual ele se tornou o próprio chefe.

E foi esse hábito que, muitos anos antes do incidente aqui relatado, levou Schwab a chamar a atenção de Carnegie e ganhar dele a oportunidade de progredir até uma posição em que se tornou o próprio chefe.

Também foi esse hábito que permitiu que o irrepreensível Carnegie progredisse da função de trabalhador diarista à de proprietário da maior indústria americana, na qual acumulou uma enorme fortuna em dinheiro e uma fortuna ainda maior em conhecimento útil.

As opiniões de Carnegie sobre o esforço extra fornecem ao leitor uma técnica funcional prática com a qual ele pode usar esse princípio de maneira eficiente para a própria autopromoção. Sua análise do assunto é aqui apresentada nas palavras dele mesmo, como a explicou ao autor no começo da organização da Filosofia da Realização Individual, a saber:

HILL: Ouvi alguns homens expressarem a crença de que sucesso é sempre resultado de sorte. Muita gente parece acreditar que homens bem-sucedidos alcançam o sucesso porque têm "momentos" de sorte, e que outros fracassam porque têm "momentos" desfavoráveis.

Creso, o rico filósofo persa, fez essa referência ao acaso quando disse:

"Há uma roda na qual giram os assuntos dos homens, e seu mecanismo é tal que impede qualquer homem de ser sempre afortunado".

Na riqueza de sua experiência nos negócios, já viu alguma evidência de uma roda desse tipo? Atribui alguma porção de seu sucesso à sorte, ou a "momentos" favoráveis?

CARNEGIE: Suas perguntas me dão um adequado ponto de partida para uma descrição apropriada do hábito de fazer o esforço extra, ou seja, prestar mais e melhor serviço do que aquele pelo qual se é pago.

Primeiro, vou responder a sua pergunta dizendo que sim, de fato, há uma roda da vida que controla os destinos humanos, e é uma felicidade poder dizer que essa roda pode ser influenciada de maneira a funcionar em favor de alguém. Se não fosse assim, não haveria propósito em organizar as regras da realização individual.

HILL: Pode me dizer da maneira mais simples possível como se pode controlar a roda da fortuna? Gostaria de uma descrição desse importante fator de sucesso que o jovem que está começando a carreira possa entender.

CARNEGIE: Vou descrever a regra específica de sucesso que, se corretamente aplicada, permite que uma pessoa literalmente determine seu preço, com uma chance superior à média de conseguir aquilo que deseja. Mais ainda, essa regra é tão poderosa que praticamente garante o indivíduo contra oposição séria daqueles que compram seus serviços. Como já disse, essa regra é conhecida como o hábito de fazer um esforço extra, que é o hábito de fazer mais do que aquilo que se é pago para fazer. Você vai perceber que introduzi uma palavra importante na descrição dessa regra: a palavra hábito!

Antes de a aplicação da regra começar a trazer resultados apreciáveis, ela deve se tornar um hábito, e deve ser aplicada o tempo todo, de todas as maneiras possíveis. Significa que se deve prestar o máximo de serviço possível, e de um jeito amistoso, harmonioso. Além disso, o indivíduo deve se portar dessa maneira sem considerar o valor da compensação imediata que recebe e até se não recebe compensação imediata.

HILL: Mas muita gente que eu conheço, pessoas que trabalham por um salário, afirmam que já estão trabalhando mais do que deveriam pelo que recebem. Se isso é verdade, por que não conseguem influenciar a roda da fortuna a seu favor mais do que parecem estar fazendo? Por que não são ricos como você?

CARNEGIE: A resposta para sua pergunta é muito simples, mas tem muitos ângulos que não vou conseguir explicar enquanto você não entender isso. Em primeiro lugar, se analisar com precisão as pessoas que trabalham por um salário, vai descobrir que 98% delas não têm um objetivo principal definido maior do que trabalhar por um salário. Portanto, por mais que trabalhem, ou por melhor que seja o serviço prestado, a roda da fortuna vai girar sem dar a elas mais que o necessário para sobreviver, porque elas não esperam nem exigem mais. Pense nisso por um momento, e vai estar mais bem preparado para seguir a lógica que vou apresentar no restante desta discussão.

A principal diferença entre aqueles que aceitam uma limitação de salário suficiente apenas para sobreviver e mim é esta: eu exijo riqueza em termos definidos; tenho um plano definido para adquirir riquezas; estou envolvido com a realização do meu plano e dou o equivalente, em serviço útil, ao valor dessas riquezas que exijo, enquanto os outros não têm plano ou objetivo.

A vida me paga de acordo com meus termos. Ela faz exatamente a mesma coisa para os homens que não pedem mais que um salário. Entenda, a roda da fortuna segue a planta mental que um homem cria em sua cabeça, e retribui a ele em medida física ou financeira o equivalente exato dessa planta.

A menos que você apreenda o pleno significado dessa declaração, vai perder a parte importante desta discussão. Há uma lei de compensação por meio da operação pela qual um homem pode estabelecer seu relacionamento com a vida, inclusive as posses materiais que ele acumula. Não há como escapar da aceitação da realidade dessa lei, porque ela não é uma lei feita pelo homem.

HILL: Entendo seu ponto de vista. Colocando a questão de outra maneira, podemos dizer que todo homem está onde está por causa do uso que faz da própria mente?

CARNEGIE: Você colocou a ideia corretamente. A principal dificuldade de muitos homens que passam pela vida castigados pela pobreza é que não reconhecem o poder da própria mente nem fazem nenhuma tentativa de se apoderar dela. Aquilo que um homem pode realizar com as mãos raramente traz mais que a sobrevivência.

Aquilo que um homem realiza pelo uso da mente pode trazer o que ele quiser da vida.

Agora vamos continuar com sua análise do princípio de fazer o esforço extra. Vou explicar algumas das vantagens mais práticas desse princípio. Eu as chamo de práticas porque são benefícios dos quais qualquer um pode dispor, sem o consentimento de terceiros.

Vamos considerar, primeiro, que o hábito de fazer mais do que se é pago para fazer traz ao indivíduo a atenção favorável daqueles que têm oportunidades a oferecer. Ainda não tomei conhecimento de nenhum homem *se promovendo* a uma posição mais elevada e mais rentável sem adotar e seguir esse hábito.

O hábito ajuda no desenvolvimento e na manutenção da correta "atitude mental" com os outros, servindo, portanto, como um meio efetivo para conquistar cooperação amistosa.

Ele ajuda o indivíduo a lucrar pela lei do contraste, já que, obviamente, a maioria das pessoas segue o oposto exato desse princípio fazendo o mínimo de trabalho possível para sobreviver. E isto é tudo que conseguem: *sobreviver*!

Ele cria um mercado contínuo para os serviços do indivíduo. Além disso, garante a chance de empregos e condições de trabalho no topo da escala de salários ou outras formas de compensação.

Atrai oportunidades que não estão disponíveis àqueles que prestam o mínimo de serviço possível e, portanto, serve como um meio efetivo de autopromoção da condição de assalariado para a de dono de um negócio.

Em algumas circunstâncias, permite que o indivíduo se torne indispensável em seu emprego, abrindo caminho para que ele determine a própria compensação.

Ajuda no desenvolvimento da autossuficiência.

E o mais importante de todos os benefícios, dá ao indivíduo a vantagem da lei de retornos aumentados pela qual ele receberá, em algum momento, compensação muito maior que o real valor de mercado pelo serviço que presta. Portanto, o hábito de fazer mais do que se é pago para fazer é um bom princípio profissional, mesmo que seja usado apenas como uma medida de conveniência, para promover os interesses do indivíduo de maneira vantajosa.

O hábito de fazer mais do que se é pago para fazer pode ser praticado sem a permissão de terceiros; portanto, está sob controle do indivíduo. Muitos outros hábitos benéficos podem ser praticados apenas com o consentimento e a cooperação de outras pessoas.

HILL: Todos os homens que trabalham para você têm sua permissão para prestar mais e melhor serviço do que aquele pelo qual são pagos? Se sim, quantos tiram proveito desse privilégio de maneira benéfica para eles mesmos?

CARNEGIE: Fico feliz por ter feito essa pergunta, porque ela me dá a oportunidade de colocar um importante ponto de vista sobre esse assunto. Primeiro, quero dizer que todas as pessoas que trabalham para mim (e isso se aplica igualmente a todos que trabalharam para mim no passado) não só têm o privilégio de fazer mais do que são pagas para fazer, como eu as incentivo a fazer exatamente isso, em benefícios delas mesmas e meu.

Você pode se surpreender ao saber que, dos muitos milhares de homens que trabalham para mim, só um pequeno número se esforçou para me colocar em situação de dívida com eles prestando mais e melhor serviço do que aquele pelo qual são pagos. Entre as poucas exceções estão membros de nossos grupos de supervisão e gerência, e todos eles recebem compensação muito maior do que a que é recebida pela maioria de nossos trabalhadores, embora todos que são contratados por mim tenham o privilégio de prestar esse tipo de serviço sem pedir permissão a ninguém.

Alguns membros do meu grupo de MasterMind, homens como Charles Schwab, tornaram-se tão indispensáveis ao nosso negócio que ganharam até um milhão de dólares em um ano, muito acima de seus salários fixos. Não foram poucos os que assim se promoveram para patamares mais elevados de rendimentos em nossa organização e atraíram oportunidades para se tornarem donos dos próprios negócios.

HILL: Não podia ter feito um negócio melhor com as pessoas a quem pagou até um milhão de dólares ao ano em compensação extra?

CARNEGIE: Ah, certamente, eu poderia ter tido os serviços deles por muito menos dinheiro, mas você deve lembrar que esse princípio de fazer mais do que se é pago para fazer funciona a favor do empregador tanto quanto do empregado. Portanto, é tanto um ato de sabedoria para um empregador pagar a um empregado tudo que ele ganha quanto é para um empregado tentar ganhar mais do que recebe. Pagando a Charlie Schwab tudo que ele ganhou, eu me precavi contra a perda de seus serviços.

HILL: Você fala de pagar aos homens que prestam mais serviço do que aquele pelo qual são pagos tudo que eles ganham. Nesse caso, como eles podem prestar mais serviço do que aquele pelo qual são pagos? Parece que há uma incoerência em sua afirmação.

CARNEGIE: Isso que você chama de incoerência é só o erro que muitos outros cometem sobre esse assunto, e é devido à falta de compreensão do hábito de fazer o esforço extra. A aparente incoerência é, portanto, uma ilusão, mas fico feliz por ter feito essa pergunta, porque vou esclarecer o assunto. É fato que pago a meus homens tudo que eles ganham, embora às vezes tenha que pagar grandes somas, mas tem um ponto importante que você ignorou. É que antes de começar a pagar a eles tudo que ganham, eles devem estabelecer seu caráter indispensável fazendo mais do que são pagos para fazer.

Agora, esse é o ponto que a maioria das pessoas ignora. Até um homem começar a prestar mais serviço do que aquele pelo qual foi pago, ele não tem o direito a mais do que recebe por esse serviço, uma vez que, obviamente, já recebe pagamento integral pelo que faz.

Acho que posso esclarecer esse ponto chamando atenção para o exemplo simples do agricultor. Antes de receber por seus serviços, ele prepara o solo com cuidado e inteligência e faz a aragem, a fertilização, se for preciso, e depois planta a semente.

Até esse ponto ele não ganhou nada com seu trabalho, mas, compreendendo a lei do crescimento, como compreende, ele descansa depois de trabalhar, enquanto a natureza germina a semente e faz brotar a safra.

Aqui o elemento tempo integra o trabalho do agricultor. No devido tempo, a natureza devolve a ele a semente plantada no solo, junto com um abundante excedente para compensá-lo pelo trabalho e por seu conhecimento. Se ele planta um alqueire de trigo em um campo adequadamente preparado, ele recupera o alqueire de sementes e, talvez, até dez alqueires adicionais como compensação.

Aqui a lei do retorno aumentado entrou em ação para compensar o agricultor e sua inteligência. Se não existisse essa lei, o homem não poderia existir nessa terra, já que, obviamente, não haveria propósito em plantar um alqueire de trigo no chão se a natureza devolvesse apenas um alqueire de grão. É esse excedente que a natureza dá, por meio da lei do retorno aumentado, que torna possível o homem produzir do chão a comida necessária para homens e animais.

Mas não é preciso ter muita imaginação para ver que o homem que entrega mais e melhor serviço que aquele pelo qual é pago coloca-se, dessa forma, em posição de se beneficiar da mesma lei.

Se um homem prestasse apenas o serviço que foi pago para prestar, ele não teria razão lógica para esperar ou exigir mais que o valor justo por esse serviço.

Um dos males do presente é a tentativa, por parte de alguns, de reverter essa regra e receber mais pagamento do que o valor do serviço que presta. Alguns homens buscam reduzir as horas de trabalho e aumentar os valores do pagamento. Essa prática não pode ser mantida indefinidamente. Quando os homens continuam recebendo mais por seu trabalho do que o valor de seus serviços, eles acabam esgotando a fonte de seus rendimentos, e o chefe faz o movimento seguinte.

Quero que entenda esse ponto com clareza, porque a falta de conhecimento sobre o assunto vai acabar arruinando o sistema industrial americano se a prática de tentar receber mais pelo trabalho do que se dá a ele não for corrigida. O homem que faz a correção é o homem que depende de seu trabalho para viver, *porque ele é o único homem que tem o privilégio da iniciativa na correção dessa prática insalubre.*

Por favor, não me entenda mal, não maldigo o homem que ganha a vida com seu trabalho diário, porque a verdade é que quero ajudar o trabalhador dando a ele filosofia mais saudável de relacionamento em relação à comercialização de seus serviços.

HILL: Se entendi corretamente, você acredita que seria tão insalubre para um empregador deixar de pagar ao empregado qualquer porção do pagamento que ele ganhou de maneira justa, como seria para um empregado criar um prejuízo a si mesmo fazendo menos do que é pago para fazer. E chego à conclusão, pelo que você disse, que sua argumentação sobre todo esse assunto se baseia na compreensão de uma economia saudável e do princípio do retorno aumentado.

CARNEGIE: Você entendeu a ideia perfeitamente, e quero lhe parabenizar por isso, porque muita gente parece nunca entender os grandes benefícios em potencial disponíveis àqueles que seguem o hábito de prestar mais serviço do que aquele pelo qual é pago.

Muitas vezes ouvi trabalhadores dizerem "Não sou pago para isso", ou "Isso não é minha responsabilidade", e "De jeito nenhum vou fazer alguma coisa pela qual não sou pago". Você já ouviu declarações desse tipo. Todo mundo ouviu.

Bem, quando você escuta um homem falando desse jeito, pode ter certeza de que ele nunca vai ganhar com seu trabalho mais que o suficiente para sobreviver. Além do mais, esse tipo de "atitude mental" atrai antipatia dos associados e, portanto, desestimula oportunidades favoráveis para autopromoção.

Quando procuro um homem para ocupar um cargo de responsabilidade, a primeira qualidade que procuro é essa atitude mental positiva, agradável. Você pode se perguntar por que não procuro antes a capacidade para fazer o trabalho que quero que seja feito. Vou dizer por quê. O homem com uma atitude mental negativa vai perturbar a harmonia do relacionamento de todos com quem trabalha; portanto, ele é uma influência desagregadora com a qual nenhum administrador eficiente quer lidar. Procuro antes a atitude mental correta também porque, onde ela está, normalmente se encontra também a disponibilidade para aprender. Assim, a capacidade necessária para a realização de determinado trabalho pode ser desenvolvida.

Quando Charles Schwab foi trabalhar para mim, ele não tinha nenhuma habilidade aparente além da que tinha qualquer outro empregado. Mas Charlie tinha uma atitude mental imbatível e uma personalidade envolvente que o ajudava a conquistar amigos em todas as classes.

Ele também tinha uma disponibilidade natural para fazer mais do que era pago para fazer. Essa qualidade era tão pronunciada que ele realmente saiu de seu caminho para se colocar no caminho do trabalho. Ele não só fez o esforço extra, como também acrescentou mais dois ou três extras, e fez tudo com um sorriso no rosto e com a disposição certa.

Ele também agiu rapidamente e voltava para pegar mais trabalho quando terminava qualquer tarefa a ele designada. Aceitou um emprego muito difícil com a mesma avidez e a mesma fome de um homem diante de um prato de comida.

Agora, o que se pode fazer com um homem como esse senão dar a ele muita autonomia e deixá-lo agir na velocidade que quiser? Esse tipo de atitude mental inspira confiança. Também atrai oportunidades que escapariam do homem que vive emburrado e de coração amargo.

Digo com franqueza que não tem como segurar um homem com esse tipo de atitude mental. Ele determina o próprio preço e é pago *de boa vontade*. Se um empregador é míope o suficiente para negar reconhecimento a esse homem por meio da adequada compensação, algum empregador mais esperto logo o descobrirá e dará a ele um emprego melhor. A lei da oferta e da procura, portanto, intercede e impõe a recompensa apropriada para esse homem. O empregador tem muito pouco a fazer nessas circunstâncias. A iniciativa está inteiramente nas mãos do empregado.

Esse exemplo da sabedoria de prestar mais serviço do que se é pago para fazer não é aplicável apenas ao relacionamento entre patrão e empregado. As mesmas regras valem com a mesma definição para os profissionais liberais; na verdade, a todos aqueles que ganham a vida prestando serviço a outras pessoas. O vendedor de alimentos que favorece o consumidor quando está pesando um quilo de açúcar é muito mais esperto do que aquele que umedece seu açúcar para deixá-lo mais pesado.

O comerciante que “arredonda para baixo” e dá ao cliente aquele centavo a mais ao devolver o troco, em vez de arredondar a seu favor, é muito mais esperto que aquele que se recusa a adotar essa prática. Conheci comerciantes que perderam negócios e clientes equivalentes a centenas de dólares por ano por causa desse hábito de querer ganhar centavos no arredondamento do troco.

Uma vez conheci um mercador que subia e descia o Vale Monongahela, perto de Pittsburgh, oferecendo os produtos que carregava nas costas. Ouvi dizer que o pacote pesava mais que o homem que o carregava.

Quando fazia uma venda, esse comerciante costumava acrescentar algum artigo extra gratuito, como forma de expressar sua gratidão pela preferência. Ah, o presente não tinha muito valor monetário, mas era ofertado com uma atitude mental que induzia o cliente a comentar a cortesia com os vizinhos, dando ao mercador uma publicidade gratuita que ele não teria conseguido comprar só com dinheiro.

Em pouco tempo esse comerciante desapareceu de sua rota estabelecida. Os clientes começaram a perguntar e pesquisar o que havia acontecido com ele. A busca era motivada por um afeto genuíno pelo “homenzinho com o peso enorme”, como o chamavam.

Alguns meses depois, o homem reapareceu. Dessa vez apareceu sem o pacote. Estava ali para informar aos clientes sobre a abertura de sua loja em Pittsburgh.

> *Se você não presta mais serviços do que aqueles pelos quais é pago, já está recebendo tudo que merece e não tem o direito de pedir mais.*

Essa loja é hoje uma das maiores e mais prósperas da cidade. É conhecida como Horn Department Store, fundada pelo "homenzinho com o peso enorme", seu proprietário, e ainda se pode acrescentar à descrição: "o homenzinho com o coração enorme e muita inteligência".

Olhamos para homens que "conseguiram" e dizemos "que sorte", ou "que felizardo". É muito comum deixarmos de investigar a origem dessa "sorte", e se assim fizéssemos, poderíamos descobrir que ela era só o hábito de prestar mais e melhor serviço do que aquele pelo qual eram pagos, como no exemplo do "homenzinho com o peso enorme".

Muitas vezes ouvi dizer que Charlie Schwab teve um "golpe de sorte" porque o velho Carnegie gostava dele e o favorecia, preferindo-o a todos os outros. A verdade é que Charlie se favoreceu. Eu só precisei ficar fora do caminho e permitir que ele seguisse em frente. Qualquer "golpe de sorte" que ele tenha tido foi criado por ele mesmo, por iniciativa própria.

Quando descrever esse princípio na Filosofia da Realização Individual, não deixe de enfatizar que eu falei sobre isso, porque essa é uma regra certa e segura pela qual qualquer um pode influenciar a roda da vida para que renda benefícios que compensarão quaisquer infortúnios que possam surgir.

Quando levar a filosofia ao mundo, não deixe de dizer às pessoas como usar esse princípio de fazer mais do que se é pago para fazer como um meio de se tornar indispensável àqueles a quem serve. Explique também que essa é a regra do sucesso pela qual a lei da compensação pode ser posta em prática deliberadamente em benefício próprio.

Sempre pensei que era uma grande tragédia Emerson não ter explicado com mais clareza, em seu ensaio sobre compensação, que o hábito de prestar mais e melhor serviço do que aquele pelo qual se é pago tem o efeito de colocar a lei da compensação como amparo para os esforços do indivíduo.

HILL: Você conhece homens bem-sucedidos que não adotam o hábito de fazer mais do que são pagos para fazer?

CARNEGIE: Não conheço nenhum homem bem-sucedido, em nenhuma área ou vocação, que não siga esse hábito de maneira consciente ou inconsciente. Estude qualquer homem de sucesso, independentemente de sua vocação, e vai descobrir rapidamente que ele não trabalha cumprindo horário.

Se estudar com cuidado aqueles que abandonam o que estão fazendo no momento em que o apito anuncia o fim do expediente, vai descobrir que eles não ganham mais do que o necessário para sobreviver.

Mostre-me uma pessoa que seja exceção para essa regra, e eu lhe dou um cheque de mil dólares, no ato, se esse homem me permitir fotografá-lo.

Se esse homem existe, é um espécime raro, e quero guardar sua foto para um museu, de forma que todos possam ver o homem que desafiou leis naturais "com sucesso". Homens bem-sucedidos não procuram expedientes curtos e trabalhos fáceis, porque, se são realmente bem-sucedidos, eles sabem que essa circunstância não existe. Homens bem-sucedidos estão sempre procurando meios de alongar, não de encurtar o dia de trabalho.

HILL: Você sempre seguiu o hábito de fazer mais do que era pago para fazer?

CARNEGIE: Se não tivesse seguido, você não estaria aqui tentando aprender as regras da realização bem-sucedida, porque eu ainda seria um assalariado e estaria exatamente onde comecei. Se me perguntasse qual dos princípios de realização mais me ajudou, acho que me sentiria compelido a dizer que foi fazer o esforço extra. No entanto, você pode não chegar à conclusão de que esse princípio isolado pode ser responsável pelo sucesso. Há outros princípios do sucesso, e algumas combinações deles devem ser usadas por todos que alcançam sucesso digno de nota e duradouro.

Agora é um momento apropriado para chamar sua atenção para a importância de combinar definição de objetivo com o hábito de fazer o esforço extra. Ao fazer o esforço extra, é preciso ter em vista um destino final, definido, e não vejo motivo para alguém não prestar mais serviço do que aquele pelo qual recebe como um meio deliberado de influenciar a roda da vida na realização de um objetivo definido.

E se alguém seguir esse hábito por conveniência? É privilégio de todo homem promover-se de toda forma legítima possível, e é seu privilégio, especialmente, progredir por métodos que *satisfaçam e beneficiem outras pessoas.*

Prestar mais serviço do que aquele pelo qual se é pago é um hábito contra o qual nenhuma oposição pode ser oferecida de maneira legítima. É um hábito que qualquer um pode exercitar por iniciativa própria, sem a necessidade de pedir permissão para isso. Nenhum *comprador* de serviços vai se opor ao vendedor que entrega mais do que promete. E certamente, nenhum comprador de serviços vai reclamar se o vendedor entregar os serviços com uma atitude mental amistosa, agradável. Esses são privilégios que fazem parte dos direitos do vendedor.

HILL: E sobre o homem cuja falta de educação obriga-o a aceitar apenas oportunidades disponíveis aos trabalhadores comuns que usam as mãos como ferramentas? Poderia dizer que esse homem tem uma oportunidade igual à daqueles que estudaram mais?

CARNEGIE: Fico muito feliz por ter feito essa pergunta, porque quero corrigir um erro comum que as pessoas cometem em relação a essa questão da educação.

Primeiro, quero explicar que a palavra "educar" tem um significado inteiramente diferente daquele que muitos acreditam ter. A palavra tem raiz no latim *educare*, que significa "extrair, desenvolver a partir do interior". Um homem educado é aquele que se apropriou de sua mente e a desenvolveu de tal forma, por meio do pensamento organizado, que ela o ajuda de maneira eficiente na solução de seus problemas diários da vida.

Algumas pessoas acreditam que educação consiste na aquisição de conhecimento, mas, em um sentido mais verdadeiro, ela significa que o indivíduo aprendeu como usar o conhecimento. Conheço muitos homens que são enciclopédias ambulantes de conhecimento, mas fazem um uso tão pobre disso que não conseguem ganhar nem o sustento.

Outro erro que muita gente comete é acreditar que escolaridade e educação são sinônimos. Escolaridade pode permitir que o homem adquira muito conhecimento e colecione muitos fatos úteis, mas não é suficiente para produzir um indivíduo educado. Educação é uma aquisição pessoal, e ela vem pelo desenvolvimento e uso da mente, e de nenhum outro jeito.

Veja Thomas A. Edison, por exemplo. Sua escolaridade se resumiu a pouco mais de três meses, e nem foi das mais eficientes. Sua verdadeira "escolaridade" foi obtida na grande escola da experiência, onde ele aprendeu a se apoderar de sua mente e usá-la. Por meio desse uso, ele se tornou um dos homens mais bem-educados de nossos tempos. Conhecimento técnico como ele necessitava para inventar coisas foi adquirido de outros homens pela aplicação do princípio do MasterMind. Em seu trabalho ele requer conhecimento de química, física, matemática e uma grande variedade de outros assuntos científicos, e não entende pessoalmente de nenhum. Mas como ele é *educado*, sabe como e onde obter conhecimento sobre esse e todos os outros assuntos que são essenciais em seu trabalho.

Então, supere a ideia de que conhecimento é, em si mesmo, educação! O homem que sabe onde e como obter o conhecimento de que precisa, quando precisa dele, é muito mais educado que o *homem que tem o conhecimento, mas não sabe o que fazer com ele.*

Há outro ângulo relacionado a esse antigo e ultrapassado argumento com o qual os homens explicam seus fracassos alegando não terem tido oportunidade para adquirir educação. É o fato de o estudo ser gratuito nos Estados Unidos, e fornecido com tanta abundância que qualquer homem pode estudar à noite, se realmente quiser. Também temos escolas por correspondência pelas quais os homens podem adquirir conhecimento sobre quase todos os assuntos, e por um preço muito pequeno.

Tenho pouca paciência para quem diz que não tem sucesso porque não estudou, porque sei que qualquer homem que queira realmente estudar consegue. A falácia desse argumento "não estudei", em muitos casos, é que ele é usado, na maioria das vezes, como desculpa para *preguiça* e *falta de ambição.*

Tive pouca escolaridade e comecei a carreira exatamente como qualquer outro trabalhador. Tive que "me esforçar", sem favores, sem "tio rico" para me ajudar, e sem ninguém para me incentivar a progredir para uma posição econômica mais favorável. A ideia de progredir foi totalmente minha. Mais que isso, descobri que a tarefa era relativamente fácil. Consistia, principalmente, em tomar posse de minha mente e usá-la com *definição de objetivo*. Eu não gostava da pobreza, portanto, me negava a permanecer nela. Minha atitude mental em relação a esse assunto foi o fator determinante que me ajudou a obrigar a pobreza a dar lugar à riqueza. Posso dizer com honestidade que, entre todos os milhares de homens que já empreguei, não conheci nenhum que não pudesse ter se igualado a mim, ou me superado, se quisesse.

HILL: Sua análise da questão da educação é interessante e reveladora; pode ter certeza de que a incluirei em meus textos sobre a filosofia da realização, porque tenho certeza de que muitas outras pessoas têm a ideia errada da relação entre "escolaridade" e "educação". Se entendi corretamente, você acredita que a melhor parte da educação de um indivíduo deriva do fazer, não simplesmente da aquisição de conhecimento. É isso?

CARNEGIE: É exatamente isso! Tenho empregados com diplomas de faculdade, mas muitos consideram o curso superior apenas incidental para seu sucesso. Os que associam o curso superior com experiência prática logo se tornam educados no sentido prático, desde que não contem muito com as graduações acadêmicas como justificativa para minimizar a experiência prática.

Esta é uma boa hora para dizer que os graduados em curso superior que empreguei, e que desenvolvem o hábito de prestar mais serviço do que aquele pelo qual eram pagos, normalmente progridem para cargos de maior responsabilidade e remuneração muito depressa, enquanto aqueles que negligenciam ou se recusam a adotar esse princípio não fazem mais progresso que o homem mediano sem diploma de faculdade.

HILL: Quer dizer que o curso de nível superior vale relativamente menos que o hábito de fazer mais do que se é pago para fazer?

CARNEGIE: Sim, podemos colocar dessa maneira, mas observei que homens com curso superior que seguem o hábito de prestar mais serviço do que aquele pelo qual são pagos, combinando o diploma às vantagens que adquirem com esse hábito, progridem muito mais rapidamente do que homens que fazem mais do que são pagos para fazer, mas não cursaram uma faculdade. A partir disso, cheguei à conclusão de que há certa medida de disciplina do pensamento que um homem obtém na faculdade, e outros que não fizeram curso superior não têm.

HILL: A maioria dos homens do seu grupo de MasterMind tem curso superior?

CARNEGIE: Não, cerca de dois terços do grupo não cursaram faculdade, e devo acrescentar que um dos que me foram mais úteis, considerando tudo que fizeram, não terminou o colégio. Pode ser interessante saber também que seu hábito voluntário de fazer mais do que era pago para fazer foi o que o tornou mais valioso para mim.

Digo isso porque seu exemplo parece ter estabelecido o ritmo para os outros membros do grupo de MasterMind. Além do mais, sua atitude sobre esse assunto contagiou todos os trabalhadores, muitos dos quais pegaram o espírito, praticaram o hábito e, portanto, promoveram-se a posições mais bem pagas e de maior responsabilidade na companhia.

HILL: Tem algum método definido pelo qual consegue informar todos os seus homens das vantagens que podem obter prestando mais serviço do que aquele pelo qual são pagos?

CARNEGIE: Não temos um método direto para isso, embora a notícia se espalhe pelas vias dos próprios trabalhadores de que homens que alçaram postos superiores progrediram seguindo o hábito de fazer mais do que eram pagos para fazer. Sempre pensei que devíamos ter ido muito mais longe por meio de algum tipo de abordagem direta para divulgar aos nossos homens os benefícios de prestar esse serviço, e teríamos ido em frente nessa intenção, não fosse o medo de esse esforço ser confundido como uma tentativa de obter mais trabalho sem pagar por ele.

Muitos trabalhadores são céticos e desconfiados em relação a todo esforço de um empregador para influenciá-los a progredir. Algum homem mais esperto que eu talvez encontre um jeito de conquistar mais confiança dos empregados e convencê-los dos benefícios, para empregados e empregadores na mesma medida, do hábito de prestar mais serviço do que aquele que é exigido pela faixa salarial.

É claro que a regra deve funcionar para os dois lados, e funciona, se um empregado entende esse princípio e o aplica deliberadamente. A questão está inteiramente nas mãos do empregado. Isso é algo que ele pode fazer por iniciativa própria, sem consultar o empregador. *Os empregados mais espertos descobrem e aplicam esse princípio voluntariamente!*

Não há um homem em meu grupo de MasterMind que não tenha se promovido voluntariamente a essa posição pelo hábito de fazer mais que o que era esperado dele. Digo francamente que o homem que segue esse hábito de maneira voluntária logo se torna indispensável e, portanto, estabelece o próprio salário e escolhe seu emprego. Não há nada que um empregador possa fazer além de cooperar com um homem que tem o julgamento sábio de fazer mais do que é pago para fazer.

HILL: Mas não existem alguns empregadores egoístas, que se recusam a reconhecer e recompensar um empregado pelo hábito de fazer mais do que é pago para fazer?

CARNEGIE: Sem dúvida há alguns empregadores que são suficientemente míopes para negar recompensa a um homem desse tipo, mas você precisa lembrar que o homem que tem o hábito de fazer mais do que é pago para fazer é tão raro que os empregadores competem por seus serviços.

Se um homem tem a sabedoria de entender as vantagens de fazer mais do que é pago para fazer, geralmente tem bom senso para saber que todos os empregadores procuram esse tipo de ajuda; e mesmo aqueles que não sabem disso, mais cedo ou mais tarde vão chamar a atenção de um empregador que esteja procurando esse tipo de serviço, embora não procurem se promover deliberadamente.

Todo homem gravita para o lugar que é seu na vida, com a mesma certeza com que a água busca e encontra seu nível!

Charlie Schwab, por exemplo, não me procurou (até onde eu sei) e disse: "Olhe aqui, estou fazendo mais do que sou pago para fazer". Fiz a descoberta por mim, porque estava procurando esse tipo de atitude mental.

Nenhum empregador pode conduzir uma indústria do tamanho da nossa com sucesso sem a ajuda de grande número de homens que colocam em seu emprego coração, alma e toda a capacidade que têm. Portanto, estou sempre atento a esse tipo de homem, e quando encontro um eu o isolo para observar de perto, *para ter certeza de que ele segue o hábito de forma consistente.* A verdade é que todos os empregadores bem-sucedidos fazem a mesma coisa. Essa é uma razão pela qual são bem-sucedidos.

Seja um homem empregador, seja empregado, o espaço que ele ocupa no mundo é medido precisamente pela qualidade e quantidade do serviço que presta, mais a atitude mental com que se relaciona com outras pessoas. Emerson disse: "Faça e você terá o poder". Ele nunca expressou pensamento mais verdadeiro que esse. Além disso, ele se aplica a todas as vocações e a todo relacionamento humano. Homens que adquirem e mantêm poder o fazem tornando-se úteis aos outros. Toda essa conversa sobre homens que mantêm empregos rentáveis pela "indicação" é bobagem. Um homem pode conseguir um bom emprego por indicação, mas acredite, se ele permanecer no emprego vai ser por "esforço", e quanto mais ele se dedicar ao trabalho, mais vai progredir.

Conheci alguns jovens que foram colocados, por influência de parentes e outras pessoas, em posições que estavam além de seus méritos e capacidades, mas raramente vi um deles fazendo uso pleno da vantagem; e as raras exceções, eu sei, foram causadas pelo hábito de dar ao trabalho mais do que tentavam tirar dele.

HILL: E quanto ao homem que não trabalha por salário? O pequeno comerciante, o médico ou advogado? Como podem se promover prestando mais serviço do que aquele pelo qual são pagos?

CARNEGIE: A regra se aplica a eles como aos assalariados. Na verdade, os que deixam de prestar esse serviço continuam pequenos, e é comum que fracassem completamente. Há um fator na vida do homem bem-sucedido conhecido como "boa vontade", sem a qual ninguém alcança sucesso digno de nota em nenhuma área.

O melhor de todos os métodos para construir boa vontade é prestar mais e melhor serviço do que aquele que é esperado. O homem que faz isso, com o tipo certo de atitude mental, com certeza faz amigos que vão continuar a promovê-lo por opção.

Além do mais, seus clientes falarão dele aos amigos, pondo em prática a lei do retorno aumentado em seu benefício.

O mercador pode não estar sempre em posição de entregar mercadoria além daquela pela qual o cliente pagou, mas pode incluir no pacote o serviço da cortesia e, assim, construir amizades que vão garantir a preferência contínua.

Entenda, boa vontade e confiança são essenciais ao sucesso em todas as esferas da vida. Sem elas o indivíduo fica confinado para sempre à mediocridade. Não há maneira melhor de construir esses relacionamentos do que prestando mais e melhor serviço que aquele que é habitual. Esse é um método de progresso pessoal que se pode exercitar por iniciativa própria e, de maneira geral, é uma forma de serviço que se pode prestar *nas horas que seriam, de outra forma, desperdiçadas.*

Tenho em mente um caso que ilustra perfeitamente o que digo. Há vários anos, um policial notou uma luz acesa tarde da noite em uma loja de máquinas que ficava em sua área, e ele sabia que ninguém trabalhava à noite ali. Desconfiado, ele telefonou para o dono da loja, que chegou em seguida, abriu a porta e, cauteloso, entrou acompanhado pelo policial armado. Quando chegaram à salinha onde a luz brilhava, o dono da loja olhou para dentro e, para seu espanto, encontrou um dos empregados trabalhando em uma das máquinas.

Quando você ficar sem nada para fazer, experimente escrever uma lista de todos os motivos pelos quais o mundo precisa de você. A experiência pode ser surpreendente.

O jovem levantou a cabeça, viu o patrão e o policial apontando a arma para ele e explicou apressado que tinha o hábito de voltar à loja à noite para aprender a operar a máquina e, assim, tornar-se mais útil ao empregador.

Vi um pequeno artigo no jornal sobre o incidente, uma coluna de menos de dez centímetros que descrevia os fatos debochando do rapaz. Mas, para mim, a piada era o empregador. Mandei alguém ir pedir ao rapaz para me procurar, conversei com ele durante alguns minutos e o contratei pelo dobro do salário que ele ganhava. Hoje ele é chefe de departamento em uma das nossas fábricas mais importantes, por um salário aproximadamente quatro vezes maior do que ganhava quando o encontrei.

Mas esse não é o fim da história. Esse jovem está a caminho de posições ainda mais elevadas, e se continuar trabalhando com sua atual atitude mental, pode ter o melhor emprego da fábrica, ou abrir um negócio.

Afirmo que não há como deter esses indivíduos que usam seu tempo livre para se preparar para prestar mais e melhor serviço. Eles chegam ao topo da profissão ou carreira tão naturalmente quanto uma rolha boia na água.

Pertenço a um clube que tem mais ou menos uns duzentos sócios, e a maioria alcançou o sucesso em sua área de atuação. Há algumas semanas, um dos membros ofereceu um banquete no qual fui o orador convidado. Pensei em falar sobre os princípios da realização individual, por isso deixei uma lista desses princípios sobre o prato de cada convidado. Em meu discurso, pedi a cada um que organizasse os princípios por ordem de importância, e que os numerasse de acordo com essa ordem. Não foi surpresa descobrir que mais de dois terços daqueles homens tinham colocado no topo da lista fazer mais do que era pago para fazer.

Analise qualquer homem que tenha sucesso reconhecido em sua ocupação e provavelmente vai descobrir que ele segue o hábito de fazer mais do que é exigido dele, embora em muitos casos possa ser uma atitude inconsciente.

HILL: Suponha que um empregado preste mais e melhor serviço do que aquele pelo qual é pago, mas descubra que seu empregador não toma conhecimento disso. Ele deve continuar sem mencionar um pagamento mais adequado, ou seria apropriado levar o assunto ao conhecimento do patrão com um pedido direto de recompensa adequada?

CARNEGIE: Todo homem bem-sucedido também é um bom vendedor. Lembre-se disso! É um privilégio do indivíduo prestar mais serviço do que aquele pelo qual é pago, e certamente é seu dever com ele mesmo comercializar seus serviços da maneira mais vantajosa. Se ele faz mais do que é pago para fazer, tem um motivo justo para pedir maior compensação. Na verdade, ele não tem razão adequada para pedir pagamento maior, a menos e até que possa mostrar que merece mais do que recebe.

Vi muitos homens pedirem promoções, ou aumento de salário, sem terem nenhum argumento que sustentasse a solicitação. Lembro de um homem que, um dia, entrou em meu escritório e pediu um aumento de salário porque estava há mais tempo naquela função que outro homem que também a exercia, mas recebia salário mais alto.

Respondi à solicitação pedindo os prontuários dos dois homens, demonstrando assim que o funcionário mais novo trabalhava mais e melhor que aquele que pedia o aumento. Concluí a entrevista perguntando a esse homem o que ele faria se estivesse em meu lugar, e ele respondeu que faria exatamente o que sabia que eu ia fazer: nada.

Porém, em circunstâncias semelhantes, nem todos os homens são razoáveis como esse foi. Há muitos que acreditam que o tempo de serviço deve ser motivo para salário mais alto, sem levar em conta qualidade e quantidade de serviço prestado.

É óbvio que compra e venda de serviços pessoais no comércio e na indústria não diferem de compra e venda de qualquer outro bem. O comprador não pode pagar mais que o valor daquilo que compra e se manter no ramo.

A lei da oferta e da procura também entra na equação, e torna-se um fator determinante no preço de serviços pessoais, como acontece em relação à compra ou venda de mercadoria. O vendedor de serviços pessoais está em uma competição com outros que têm serviços parecidos para vender. Quando o ponto de saturação no mercado é alcançado, o preço de venda cai naturalmente.

HILL: O que um homem pode fazer quando se descobre em uma competição com outros que se dispõem a trabalhar por menos dinheiro que ele quer ou de que precisa? Como se pode enfrentar essa concorrência?

CARNEGIE: Ele pode enfrentá-la entregando um produto melhor do que o da concorrência, e de nenhum outro jeito. Nem todos os cavalos do rei, nem todos os homens do rei podem mudar esse fato.

Ele ainda pode dar mais um grande passo ao enfrentar a concorrência prestando serviço com a adequada atitude mental. Além disso, só tem uma coisa que um homem pode fazer para comercializar seus serviços da forma mais favorável, e é se especializando em um campo específico em que não haja tanta concorrência.

Isso pode envolver uma mudança de vocação, mas é um passo que sei que muitos homens ambiciosos deram. Se o trabalho de um homem não rende a ele o suficiente para suprir suas necessidades, a única coisa que ele pode fazer é mudar para outra área na qual o pagamento pelos serviços seja mais alto.

Em relação a isso, quero alertar para um engano comum cometido por muitos homens que trabalham por salário, que é o hábito de confundir necessidades financeiras com a exigência de salário. Conheci homens cujos hábitos eram tão extravagantes, e cuja economia doméstica era tão mal administrada, que eles pretendiam resolver o problema da necessidade de mais dinheiro do que ganhavam exigindo que ele se apresentasse na forma de salário mais alto, embora já recebessem o valor cheio por seus serviços.

No geral, acho que empregadores e empregados na indústria americana são justos e razoáveis. Nenhum empregador sensato quer comprar serviços pessoais por menos que valem, e nenhum empregado honesto espera ou exige pagamento desproporcional ao valor dos serviços que presta. Mas há alguns homens nos dois grupos que parecem não ter uma ideia clara de como chegar a um preço justo por serviços pessoais.

HILL: Falando sobre o relacionamento entre empregadores e empregados, presumo que tenha se referido a ele em sua forma mais ampla; que tenha se referido a todas as circunstâncias nas quais serviços pessoais sejam comprados e vendidos, como no relacionamento entre profissionais e seus clientes, em que os "salários" correspondem a um valor fixado; e ao comerciante e seus clientes, quando os "salários" consistem de um lucro sobre a mercadoria vendida.

CARNEGIE: Sim, você está correto. Mas poderia ter estendido o escopo da relação empregado-empregador para incluir todas aquelas em que uma pessoa presta serviço a outra. O hábito de fazer mais do que aquilo que é esperado pode ser aplicado de maneira muito eficiente em relacionamentos de amizade, em que uma pessoa serve outra sem pensar em ganho pecuniário. Aqui o objetivo de prestar esse serviço pode ser o desejo de desenvolver uma amizade mais duradoura.

O princípio pode ser aplicado efetivamente em relacionamentos familiares, em que um serviço prestado por um membro da família a outro tem a classificação de dever de família. Aqui, como em todos os outros relacionamentos, é benéfico prestar mais e melhor serviço do que de costume e, acima de tudo, com a atitude mental correta. Metade das discórdias domésticas poderia ser superada por uma aplicação fiel do hábito de fazer mais do que é esperado, e fazer com um espírito sensato.

HILL: Pelo que disse, cheguei à conclusão de que o hábito de fazer mais do que se é pago para fazer tem possibilidades tão amplas de aplicação que pode afetar todos os relacionamentos humanos.

CARNEGIE: Sim, ele pode beneficiar os relacionamentos com meros conhecidos, em que a questão do serviço nem está envolvida e não existe essa obrigação. Há situações em que todo o relacionamento consiste em simples trocas de gentilezas entre estranhos.

Neste ponto quero enfatizar que o serviço que se presta sem pagamento, e sem nenhuma expectativa de compensação direta de natureza monetária, geralmente se mostra mais lucrativo que todos, porque esse serviço constrói amizades e coloca outras pessoas em dívida de maneiras e em graus que seriam impossíveis se o serviço fosse pago! Pelo funcionamento dos princípios de retaliação e reciprocidade, todas as pessoas expressam de algum jeito sua apreciação pelos favores a elas prestados, e mostram com a mesma clareza o ressentimento pelas injúrias feitas.

Os favores podem consistir em nada mais tangível que simples palavras de cortesia, e as injúrias podem não ser maiores que deixar de falar com um conhecido por quem passamos na rua, mas as repercussões, nos dois casos, podem ser abrangentes e sérias.

E posso levar o exemplo um passo adiante dizendo que não só simples palavras, ou a falta delas, servem para alterar relacionamentos entre pessoas, mas também o tom de voz em que as palavras são ditas pode fazer amigos ou inimigos.

Conheço um homem de negócios muito bem-sucedido que nunca fala com um de seus empregados sem modificar cuidadosamente o tom de voz, de forma a transmitir um sentimento de simpatia. Na verdade, ele nunca fala com ninguém sem controlar a voz até que ela transmita o sentimento que ele deseja transmitir.

Esse homem não só introduz tons agradáveis na voz quando fala com os empregados, como também observei que, quando dá uma ordem, ele sempre pede *por favor*, em vez de exigir obediência. Os resultados dessa abordagem são impressionantes.

Sempre me perguntei por que as pessoas que desejam obter cooperação amistosa em todas as áreas da vida não recorrem a esse hábito de pedir cooperação com um tom de voz agradável, em vez de exigir diretamente, como faz a maioria.

Não seria muito melhor para todos os envolvidos se os membros de uma família pedissem favores uns aos outros, com um tom de voz simpático, em vez de exigir atenção? Tenho um vizinho que nunca dá ordens aos filhos. Se quer que façam alguma coisa, ele modifica o tom de voz para transmitir um profundo afeto, e manifesta seu desejo na forma de pergunta: "*Pode, por favor, fazer isso ou aquilo?*" ou "*Você pode parar de fazer isso ou aquilo?*".

Os resultados são imediatos e eficientes. Os filhos respondem com o mesmo tom afetuoso, transmitindo, portanto, que é um prazer atender ao pedido.

Então, aqui vai mais um exemplo de como o princípio da reciprocidade funciona na prática. Nas relações profissionais, sociais ou familiares, o hábito de fazer o esforço extra sempre traz recompensas. E é surpreendente quando se observa de perto e descobre a grande variedade de relacionamentos humanos nos quais se pode fazer o esforço extra com benefícios diretos.

HILL: Você acabou de dar uma descrição muito lúcida dos benefícios disponíveis pela aplicação do hábito de fazer o esforço extra. Pode dar agora um breve resumo dos métodos mais práticos para o desenvolvimento desse hábito?

CARNEGIE: Com esse, como com todos os outros princípios da Filosofia da Realização, a perfeição só é alcançada pela prática. A palavra hábito denota repetição de um pensamento, palavra ou ato. Não tem outro jeito de desenvolver um hábito.

Para responder sua pergunta mais especificamente, sugiro que a melhor maneira de desenvolver o hábito de fazer o esforço extra é adotar a política de realmente fazer o esforço extra em todas as relações humanas.

É possível começar em casa, com os membros da família. A maioria das famílias precisa praticar mais esse hábito.

Em seguida, pode-se começar de maneira muito lucrativa a fazer o esforço extra a favor de associados na empresa ou em sua atividade vocacional.

Seria muito útil, como forma de desenvolver esse hábito, mesmo não sendo diretamente lucrativo de outra maneira, adotar a política de fazer o esforço extra com conhecidos, por meios de palavras e atitudes de cortesia. Fiquei sabendo de grandes oportunidades para autopromoção originárias desse tipo de cortesia.

Se você quer que alguma coisa seja feita, e bem feita, procure um homem ocupado que organize seu tempo de tal forma que tenha tempo livre para emergências.

Por fim, se alguém adota e segue deliberadamente o hábito de fazer o esforço extra em todos os relacionamentos, há poucas chances de mal-entendidos e praticamente nenhum risco de perda de oportunidades para autopromoção.

Nunca é demais enfatizar a importância de fazer mais do que aquilo pelo que se recebe como uma questão de hábito. Não é o bastante agir dessa maneira apenas por conveniência, quando é óbvio que a atitude trará benefícios, porque isso leva muita gente a ignorar oportunidades para autopromoção que só podem ser percebidas por aqueles que fazem o esforço extra como hábito. Esse hábito vai atrair e revelar oportunidades que a pessoa comum não vai notar. Mais ainda, ele tem uma forte tendência para criar oportunidades onde elas não existiam antes.

Todos os hábitos têm a peculiaridade de inspirar hábitos relacionados. O hábito de fazer mais do que se é pago para fazer ajuda, automaticamente, no desenvolvimento dos hábitos de iniciativa, perseverança, entusiasmo, imaginação, autocontrole, definição de objetivo, autossuficiência, personalidade atraente e muitas outras qualidades essenciais para o sucesso, entre elas um afeto genuíno por pessoas.

Fica claro, portanto, que há mais benefícios relacionados ao hábito de fazer mais do que se é pago para fazer do que aqueles discerníveis por uma análise rápida, superficial. Enfatizo esse fato porque se pode cometer o engano de julgar mal a importância desse hábito pela simplicidade de seu nome. Devemos todos lembrar que as grandes coisas da vida nada são senão um conjunto de coisas menores.

A diferença entre as atitudes que levam ao sucesso e as que levam ao fracasso é sempre tão pequena que passa despercebida por todos, exceto por aqueles que têm um aguçado sentido de observação e análise das circunstâncias do relacionamento humano.

Acima de tudo, devemos lembrar que todo sucesso depende da maneira como o indivíduo se relaciona com outros. O relacionamento humano, portanto, é o assunto mais importante da vida. É aqui que o indivíduo se torna "o mestre de sua vida, o capitão de sua alma", ou afunda na escuridão do esquecimento, pelo fracasso.

A tragédia dos que fracassam está no fato de o relacionamento humano ser sujeito a manipulação, direção, influência e controle, por meio de regras estabelecidas do sucesso. Não fosse assim, não haveria propósito em apresentar esta Filosofia de Realização.

Além de todos os outros benefícios disponíveis para aqueles que habitualmente prestam mais e melhor serviço do que aquele pelo qual são pagos, esse hábito traz certo sentimento de felicidade que, por si só, seria compensação adequada para quem adota o hábito.

Nunca conheci alguém que seguisse esse hábito e não tivesse uma disposição de *otimismo e alegria*! Seria impossível alguém integrar aos hábitos diários a prestação de serviço útil a tantas pessoas quanto for possível e, ao mesmo tempo, ter uma atitude rabugenta, pessimista.

Outro método muito eficiente para o desenvolvimento do hábito de fazer o esforço extra é analisar e estudar com cuidado os que seguem esse hábito e os que não o seguem, e comparar as realizações desses dois grupos. Um mês de observação diária é suficiente para se convencer das estupendas possibilidades disponíveis para todos que fazem o esforço extra e o fazem de maneira espontânea e agradável.

HILL: Chego à conclusão de que a expressão "fazer mais do que se é pago para fazer" é, de alguma forma, uma nomenclatura errada, na medida em que é impossível, no sentido mais amplo dessa expressão, alguém fazer mais do que é pago para fazer. É essa sua compreensão?

CARNEGIE: Estava esperando para ver se você perceberia esse fato sem eu ter que chamar sua atenção! Sim, é isso. Todas as formas de trabalho construtivo são recompensadas, de um jeito ou de outro, e no sentido mais amplo não existe, realmente, essa possibilidade de fazer mais do que se é pago para fazer.

Vamos ver que benefícios específicos estão disponíveis ao homem (por meio de seus poderes exaltados de pensamento e discurso) que o compensam por fazer o esforço extra.

ALGUMAS VANTAGENS DE FAZER MAIS DO QUE SE É PAGO PARA FAZER

- O hábito de fazer o esforço extra dá ao indivíduo o benefício da lei dos retornos crescentes, em uma variedade de maneiras muito numerosa para ser descrita aqui.
- O hábito coloca o indivíduo em posição de beneficiar-se da lei da compensação, pela qual nenhum ato ou feito pode ou é realizado sem uma resposta equivalente (de acordo com sua própria natureza).
- Dá ao indivíduo o benefício do crescimento por meio de resistência e uso, promovendo, portanto, o desenvolvimento mental e aumento da habilidade no uso do corpo. (É fato muito conhecido que corpo e mente adquirem eficiência e habilidade pela disciplina e o uso sistemáticos que pedem a prestação de serviço que, temporariamente, não é pago.)
- O hábito desenvolve o importante fator da iniciativa, sem o qual nenhum indivíduo jamais supera a mediocridade em nenhuma vocação.
- Desenvolve autossuficiência, que também é essencial em todas as formas de realização pessoal.
- Permite que o indivíduo lucre pela lei do contraste, já que, obviamente, a maioria das pessoas não segue o hábito de fazer mais do que é paga para fazer. Pelo contrário, busca "se safar" com um mínimo de serviço.

- Ajuda o indivíduo a superar o hábito de vagar sem rumo, eliminando, portanto, o hábito que está no topo da lista daqueles que são a maior causa de fracasso.
- Ajuda no desenvolvimento do hábito de definição de objetivo, o primeiro princípio de realização individual.
- Tem forte tendência a ajudar no desenvolvimento da personalidade atraente, levando assim a meios pelos quais se pode relacionar com outras pessoas de forma a obter cooperação amistosa.
- Costuma dar ao indivíduo uma posição preferencial no relacionamento com outras pessoas, pela qual ele pode se tornar indispensável e estabelecer o preço por seus serviços.
- Garante emprego contínuo, servindo, portanto, de seguro contra a carência relacionada às necessidades da vida.
- É o maior de todos os métodos conhecidos pelos quais o homem assalariado pode se promover para posições mais elevadas e melhores salários, e serve como meio prático pelo qual um homem pode se tornar dono do próprio negócio.
- Desenvolve a presteza de imaginação, a capacidade pela qual se pode criar planos práticos para a realização de objetivos e propósitos em qualquer vocação.
- Desenvolve uma "atitude mental" positiva, que é uma das qualidades mais importantes e essencial em todos os relacionamentos humanos.

- Serve para construir a confiança de terceiros na integridade e capacidade geral do indivíduo, que é essencial e indispensável para realização digna de nota em qualquer vocação.
- Finalmente, é um hábito que se pode adotar e seguir por inciativa própria, sem a necessidade de pedir permissão a terceiros.

Compare essas dezesseis vantagens definidas que estão disponíveis ao homem em troca de fazer mais do que se é pago para fazer com o único benefício de obter a comida necessária para viver, que está disponível às outras criaturas da Terra por meio do mesmo hábito, e será levado a concluir que o número esmagadoramente maior de benefícios desfrutados pelo homem serve como adequada compensação para o desenvolvimento e uso desse hábito. Essa comparação confirma sua afirmação de que é impossível alguém fazer mais do que é pago para fazer, e pela razão muito óbvia de que, no simples ato de fazer aquilo que é construtivo, o indivíduo adquire poder que pode ser convertido no que ele quiser.

Essa análise confere maior significado à afirmação de Emerson: "Faça a coisa e terá o poder".

Quem segue essa análise cuidadosamente não pode deixar de concluir que é impossível alguém fazer mais do que é pago para fazer. O pagamento consiste na autodisciplina e no desenvolvimento que se alcança pela prestação de serviço, e está também nos efeitos materiais do serviço, na forma de compensação econômica.

HILL: Sua análise do hábito de fazer mais do que se é pago para fazer sugere que esse hábito é um dos "necessários" da Filosofia da Realização Individual. Pode descrever algumas circunstâncias definidas em sua experiência profissional nas quais tenha lucrado com esse hábito?

CARNEGIE: Você me faz um pedido grandioso. Primeiro, vou dar uma resposta genérica contando que todas as riquezas materiais que possuo e todas as vantagens comerciais de que desfruto podem ser atribuídas a ter seguido esse hábito. Mas vou lhe dar um exemplo mais específico de uma experiência que me deu uma das maiores oportunidades que jamais tive para me promover. Menciono essa experiência particular porque foi uma das mais dramáticas da minha vida, e posso acrescentar que ela trouxe também um dos maiores riscos que jamais assumi para fazer o esforço extra. O risco foi do tipo que jamais se deve assumir, a menos que se saiba estar tomando a atitude certa, e ainda assim é o tipo de risco que pode ser fatal para as oportunidades de autopromoção na maioria das circunstâncias.

É mais lucrativo ser a favor de alguma coisa do que contra alguma coisa.

Quando eu era muito jovem, estudava telegrafia à noite e aprendi a operar um telégrafo com eficiência. (Não fui pago para isso, nem fui orientado por alguém a tomar essa atitude.) Fui recompensado por meu trabalho, porém, ao atrair a atenção de Thomas Scott, superintendente de divisão da Pennsylvania Railroad, em Pittsburgh, que me deu o cargo de seu operador e secretário particular.

Certa manhã, cheguei ao escritório antes de todo mundo e descobri que um acidente grave tinha interrompido a linha, e toda a divisão estava congestionada.

O expedidor chamava desesperadamente o escritório de Scott quando entrei; decifrei a mensagem e descobri rapidamente o que havia acontecido. Tentei contato com Scott por telefone, mas a esposa informou que ele já tinha saído de casa. Então, lá estava eu, sentado em cima de um vulcão que certamente explodiria e arruinaria minhas chances na Pennsylvania Railroad para sempre se eu tomasse a atitude errada, e poderia ter o mesmo efeito *se eu não fizesse nada.*

Eu sabia exatamente o que meu chefe teria feito se estivesse ali, e também sabia bem o que ele poderia fazer comigo se eu assumisse o risco de agir por ele em uma emergência tão importante.

Mas o tempo era importante, então, tomei a decisão e transmiti em nome dele as ordens para o desvio dos trens e a dissolução do congestionamento.

Quando chegou ao escritório, meu chefe encontrou um relatório do que eu tinha feito, com meu pedido de demissão anexado em cima de sua mesa. Eu tinha violado uma das regras mais severas da ferrovia, por isso facilitei para meu chefe escapar das consequências que seriam impostas por seus superiores e pus meu pescoço na forca.

Cerca de duas horas mais tarde, fui informado da decisão. O pedido de demissão voltou à minha mesa com as palavras "pedido negado" escritas com a caligrafia do chefe. Ele não voltou a tocar no assunto até vários dias mais tarde e, mesmo assim, à sua maneira, encerrando-o sem me repreender ou punir pela violação das regras. Ele disse apenas: "Há dois tipos de homem que nunca chegam muito longe na vida. Um é o tipo que não sabe cumprir ordens, e o outro é o tipo que não sabe fazer nada além disso". Ali o assunto foi encerrado definitivamente, de um jeito que me permitiu concluir que ele não me incluía em nenhum dos grupos.

Ir além da esfera de suas instruções imediatas e prestar serviço que não foi solicitado deveriam ser as metas de todo jovem, mas é preciso ser muito cuidadoso ao assumir esses riscos que vão além das instruções, como eu fiz nessa ocasião. Acima de tudo, é preciso ter certeza de estar tomando a atitude certa, mas mesmo assim é possível encontrar dificuldades.

Um rapaz que trabalhava como secretário confidencial de um corretor de Nova York perdeu o emprego misturando um julgamento errado ao exercício bem-intencionado do hábito de ir além das instruções. Seu chefe estava fora, de férias, e o deixou responsável por determinado valor que deveria investir no mercado de ações, em um momento e de um jeito determinados. Em vez de seguir as instruções, ele investiu a quantia de maneira totalmente diferente. A transação rendeu um lucro muito maior do que teria rendido caso o empregado tivesse seguido as instruções que recebeu, mas o empregador decidiu que a violação cometida pelo rapaz o identificava claramente como alguém desprovido de bom julgamento, e alegou que ele poderia deixar de cumprir suas instruções novamente em algum momento, em circunstâncias que seriam desastrosas. A consequência foi sua demissão.

Então, repito enfaticamente, tenha certeza de que está certo antes de descumprir as regras a fim de fazer mais do que é pago para fazer, e tenha certeza quanto ao seu relacionamento com o homem que pode cortar sua cabeça por isso. Não existe qualidade que possa substituir um julgamento equilibrado, estável. Seja ativo, seja persistente, seja decidido, mas também seja cauteloso em seu julgamento.

HILL: Poderia explicar quais benefícios teve por ter corrido tão grande risco ao desrespeitar as regras da ferrovia para fazer mais do que era autorizado a fazer? Pode dizer que os benefícios justificaram o risco?

CARNEGIE: Posso responder sua pergunta dizendo que minha atitude chamou a atenção de gente além dos agentes da ferrovia para quem eu trabalhava, e que esses homens mais tarde forneceram o dinheiro para eu começar no ramo do aço. O passo muito ousado me deu uma oportunidade de chamar atenção que me foi muito útil, embora, é claro, eu não pensasse nisso quando ultrapassei os limites da minha autoridade e descongestionei as ferrovias.

A circunstância não só chamou atenção para mim, como também me deu uma chance de provar que eu tinha coragem para desrespeitar as regras quando elas não deviam ser acatadas. Também estabeleceu minha capacidade de fazer bom julgamento. Se meu julgamento fosse ruim, a atitude que tomei teria arruinado minha chance imediata de atrair atenção favorável de homens que podiam ser de grande ajuda para mim e, é claro, teria significado minha demissão da ferrovia.

Muitos anos depois desse incidente, quando convidei um grupo de homens para se juntarem a mim fornecendo o capital de minha primeira indústria, Thomas Scott foi quem convenceu os outros de que seu dinheiro seria bem investido em meu empreendimento. Contou a história do acidente ferroviário e usou como prova de que eu tinha capacidade para lidar com emergências nos negócios de um jeito confiável.

Se tivesse que lidar de novo com a mesma emergência, eu teria agido exatamente como agi. O homem que não é capaz de lidar com emergências com bom julgamento nunca pode se tornar indispensável em nenhum negócio, já que nenhum negócio pode funcionar com sucesso a partir de regras inquebráveis. O truque é saber quando quebrá-las.

HILL: É sua política incentivar sempre seus empregados a usarem o próprio julgamento quando vão além dos limites das instruções ao aplicarem o princípio ou fazerem mais do que aquilo pelo que são pagos?

CARNEGIE: Toda pessoa associada a mim em qualquer função sabe que tem o privilégio de usar a própria iniciativa sempre que estiver disposta a usar o próprio julgamento, e incentivo todos os meus associados a fazerem a mesma coisa, mas também me esforço muito para enfatizar, por exemplo, a importância de usar julgamento sensato quando o indivíduo ultrapassa as instruções específicas que dou a ele, independentemente de obter bons ou maus resultados. Mas, além disso, quando um homem age tomando por base o próprio julgamento, precisa assumir a responsabilidade por seus erros. Qualquer outra política seria desastrosa, tanto para empregador quanto para empregado, porque estimularia o descuido.

HILL: Existem circunstâncias que consegue lembrar em que o hábito de fazer mais do que se é pago para fazer seria desaconselhável ou prejudicial a alguém?

CARNEGIE: Vou responder sua pergunta com outra: como um hábito que beneficia comprador e vendedor de serviços poderia prejudicar alguém? Nessa transação, só há duas partes. Portanto, nenhuma circunstância relacionada ao hábito de fazer mais do que se é pago para fazer seria desaconselhável, que eu consiga lembrar, para comprador ou vendedor, ou para qualquer pessoa alheia à transação.

HILL: Vou perguntar de outro jeito, então. Qual das partes, o comprador ou o vendedor dos serviços pessoais prestados dentro do hábito de fazer mais do que se é pago para fazer, pode ficar com a melhor parte nesse negócio?

CARNEGIE: Falando de maneira geral, eu diria que não há "melhor parte" de nenhum negócio que satisfaça todos os envolvidos. Porém, nesse exemplo em particular, acho que é claro que o vendedor fica com a melhor parte do negócio. Dei a você uma descrição de dezesseis benefícios definidos que resultam em vantagem para o vendedor dos serviços de acordo com essa política, enquanto é óbvio que as vantagens para o comprador na mesma barganha são bem menores.

Quando você considera que o hábito de fazer mais do que se é pago para fazer é o mais confiável de todos os métodos de autopromoção pelos quais um trabalhador comum pode ascender a uma posição de segurança econômica, acho que não precisa de mais evidências de que esse hábito deve ser uma preocupação maior para um empregado do que para um empregador.

HILL: Você diria que poderia ter alcançado o sucesso que tem se tivesse se recusado a prestar mais serviço do que aquele pelo qual era pago? Tem alguma outra política que poderia ter substituído a de fazer mais do que era pago para fazer e que teria servido ao mesmo fim?

CARNEGIE: Não há substituto para o hábito de fazer o esforço extra, embora alguns homens muito espertos tenham tentado, sem resultados satisfatórios, alcançar o sucesso sem observar essa regra. Teria sido totalmente impossível promover meus próprios interesses, como fiz, se não tivesse desenvolvido ainda jovem o hábito de fazer mais do que era pago para fazer.

HILL: Deduzo, então, por sua afirmação, que considera o hábito de fazer mais do que se é pago para fazer mais benéfico para você do que o princípio do MasterMind, ao qual prestou grande tributo como influência contribuinte em seu negócio?

CARNEGIE: Sim, isso é verdade, e devo acrescentar que, se não tivesse seguido o hábito de fazer mais do que aquilo pelo que era pago, provavelmente nunca teria chegado a um ponto em que a aliança de MasterMind teria tido algum benefício para mim.

Se você lembrar o que eu disse sobre meu relacionamento com os membros do meu grupo de MasterMind, vai ver que os benefícios que obtive de meus associados foram decorrência, em grande parte, de eu ter providenciado para que cada um deles ganhasse mais do que provavelmente teria ganhado sem minha ajuda.

Você deve lembrar que o hábito de fazer o esforço extra é um privilégio que é igualmente disponível e rentável ao empregado e, em alguns aspectos, ao empregador. Do ponto de vista do empregador, o hábito de pagar por mais serviços do que realmente recebe, se ele tem o tipo correto de compreensão, frequentemente tem o efeito de permitir que ele obtenha, com o tempo, tudo que paga, mas ele pode receber um bônus de grande valor na forma de lealdade e confiabilidade.

HILL: Esse é exatamente o ponto em que eu queria chegar. A partir de sua análise, não há alternativa senão concluir que empregador e empregado podem lucrar se relacionando com base em entregar mais do que aquilo pelo que é pago. Determinar quem recebe a melhor parte da barganha, dentro dessa política, empregado ou empregador, é como tentar decidir quem nasceu primeiro, o ovo ou a galinha.

CARNEGIE: Sua análise está correta. Analise essa política de qualquer perspectiva e finalmente vai reconhecer que ela é benéfica a todos que afeta, seja empregador, seja empregado. E você pode dar um passo adiante e dizer que a política também beneficia, em uma maioria de casos, o público que é servido por empregador e empregado. O elemento que você não pode encontrar em relação a essa política é uma circunstância em que alguém seja prejudicado.

Por outro lado, posso fazer com facilidade uma longa lista de circunstâncias em que tanto empregador quanto empregado, além do público a que servem, são irreparavelmente prejudicados pelo fracasso em observar essa política. Não vou mencionar essas circunstâncias porque são óbvias e conhecidas, e descrevê-las seria perda de tempo. Também posso incomodar aqueles que preferem atribuir seu fracasso a empregadores gananciosos que se recusam a pagar o que eles acham que valem.

Você sabe, é claro, que a maioria dos homens que não progride na vida comete o erro de olhar em todos os lugares, menos no espelho, em busca da causa de seu infortúnio. Essa é uma característica da natureza humana para a qual me recuso a sugerir remédio, e pelo simples motivo de que remédio nenhum seria aceito por esses homens.

Sempre disse que nenhum homem de mente e corpo sãos, que seja cidadão de nosso país, tem direito legítimo de cobrar de outras pessoas por seu fracasso em progredir. Em nossa forma de democracia, todo homem tem o privilégio de promover-se para qualquer posição que seja capaz de ocupar, e você pode ter certeza de que a maioria das queixas sobre falta de oportunidade não é mais que desculpas frágeis com as quais as pessoas tentam explicar indiferença, falta de ambição ou simples preguiça.

Falo por experiência pessoal e observação quando digo que as oportunidades americanas são muito abundantes e que os recursos americanos são tão grandes que a pessoa mais humilde, com corpo e alma sãos, pode obter segurança econômica. E eu poderia nomear muitos homens que alcançaram independência sem um corpo são.

HILL: E o homem que pertence a um sindicato e é forçado, pelas regras de sua profissão, a limitar a quantidade de serviço que presta? Que chance ele tem de lucrar com o hábito de fazer mais do que é pago para fazer?

CARNEGIE: Eu sabia que, mais cedo ou mais tarde, você chegaria a essa pergunta. Agora que perguntou, vou responder com justiça e franqueza, porque é melhor dizer já qual é meu ponto de vista sobre esse assunto.

Em primeiro lugar, quero anteceder meus comentários dizendo que acredito que os trabalhadores têm o mesmo direito que qualquer outro grupo de se organizar para a negociação cooperativa. Nesse ponto não pode haver espaço para discussão. Mas o simples fato de os homens juntarem suas forças para negociação coletiva em relação à venda de seus serviços pessoais ou à comercialização de produtos não confere a eles o direito ou poder de ignorar os princípios da economia e do bem-estar público.

Ninguém pode tirar de nenhuma transação mais do que colocou nela em valores equivalentes. Essa é uma regra reconhecida da economia.

Muito bem, vou responder a sua pergunta dizendo que o homem que se alia a outros sob regras que o obrigam a limitar a quantidade de serviço que presta em proporção à sua remuneração se coloca, dessa forma, em uma posição na qual é forçado a aceitar compensação limitada. Ele pode conseguir exigir o teto salarial fixado por seu sindicato, mas aí ele tem que parar. Nenhuma aliança sindical pode levá-lo um passo além disso, e nenhum líder sindical pode garantir a ele mais alguma coisa.

A questão então passa a ser determinar se um indivíduo está ou não disposto a limitar seu estilo de vida para se adequar ao pagamento limitado que seu sindicato impõe a ele. Isso é algo que todo homem deve decidir sozinho.

HILL: Considerando suas conquistas nos negócios, presumo que tenha escolhido arriscar sem a proteção de um sindicato, porque desejava compensação maior do que poderia obter por intermédio dessa aliança. Estou certo?

CARNEGIE: Esse é exatamente meu caso. Fui procurado muitas vezes por colegas trabalhadores que me convidaram a me associar a sindicatos, mas recusei, porque preferia comercializar meus serviços no mercado aberto, no qual podia tirar proveito de uma porção maior da oportunidade americana para acumular riquezas do que teria estado disponível por meio da proteção limitada de um sindicato. Tive o direito de escolher. A forma americana de governo foi fundada com esse direito como uma de suas principais pedras fundamentais, e acho que é esse privilégio que, mais que todos, faz deste o maior país do mundo.

Onde, exceto neste país, um homem pode começar do zero, sem capital, sem grande influência, e trocar seus serviços por toda a riqueza que for capaz de ganhar?

HILL: O que aconteceria se todos os homens fossem forçados por lei a comprar e vender serviços pessoais de acordo com regras sindicais que limitassem a quantidade de serviço que qualquer homem pudesse realizar? Isso seria uma ajuda ou um prejuízo para a maioria das pessoas?

CARNEGIE: Se isso acontecesse, não teríamos mais o direito da livre-iniciativa. Haveria repercussões em muitas outras formas de tolhimento da liberdade pessoal, e em breve a liberdade americana não seria mais que uma frase vazia. Não creio que o povo americano receberia bem qualquer coisa que eliminasse seu privilégio de autodeterminação, porque tem um padrão de vida que não poderia manter com esse tipo de limitação.

HILL: Mas os pobres e os fracos não seriam favorecidos se salários e horas trabalhadas fossem estabelecidos por lei? Essa lei não teria o efeito de distribuir a riqueza americana com mais igualdade?

CARNEGIE: Vou responder sua pergunta à luz do que aprendi sobre leis e pessoas a partir de observação pessoal e experiência prática nos negócios. Em primeiro lugar, sejamos perfeitamente francos ao responder essa pergunta sobre os pobres e os fracos. Se observar cuidadosamente o plano da natureza, vai ver que ela não protege os fracos. Ela mata os fracos e incentiva os fortes de todas as espécies vivas, do menor inseto ao próprio homem. A lei da sobrevivência do mais forte é tão reconhecida que não precisa de mais provas de sua existência.

A maior ajuda que alguém pode dar ao fraco e ao pobre é permitir que eles se ajudem. Tinha exatamente isso em mente quando disse a você que pretendo distribuir a maior parte das minhas riquezas às pessoas, por meio da filosofia da realização individual, porque sabia que a riqueza material gravita para o homem que tem o conhecimento com que a riqueza é acumulada, tão certo quanto a água corre para seu nível.

Esse fato foi demonstrado durante a guerra entre os estados, quando o governo deu a um grupo de prisioneiros o privilégio de conquistar sua liberdade, desde que se alistassem ao Exército da União e fossem para o Oeste ajudar a sufocar rebeliões indígenas.

Muitos aceitaram, com a condição de que, como passariam muito tempo longe dali, recebessem vários meses de pagamento adiantado. O exército partiu, e fui informado por um dos soldados de que, no fim da primeira semana, cada dólar desse pagamento adiantado estava nas mãos de menos de meia dúzia desses homens, os que eram mais habilidosos com o baralho.

A mesma coisa aconteceria se cada dólar na América fosse posto em um fundo e todo o valor fosse dividido igualmente entre os habitantes. Em pouco tempo, o dinheiro estaria de volta nas mãos dos que saberiam lidar com ele, os que têm o conhecimento com o qual o dinheiro é acumulado.

Estou falando de natureza humana. Toda essa conversa sobre ajudar os fracos e pobres dando a eles alguma coisa em troca de nada vem de homens sem nenhuma compreensão prática de como isso pode ser feito. Acredito em ajudar os fracos e pobres. Não seria humano, se não acreditasse. Mas sei que o único jeito de ajudar alguém de maneira permanente é ajudar essa pessoa a resolver seus problemas por meio do próprio esforço.

Mais ainda, aprendi por experiência que essa é toda ajuda de que um homem necessita. Só o mendigo profissional e o indolente preguiçoso demais para trabalhar por seu sustento pediriam aos outros alguma coisa em troca de nada. Essas pessoas sempre estarão por aí, mas não há nenhuma caridade em dar àqueles que não tentam se ajudar.

HILL: Acredita, então, que a melhor maneira de distribuir a riqueza dos Estados Unidos é fornecendo a todos o conhecimento pelo qual a riqueza é acumulada?

CARNEGIE: Esse é o único jeito seguro. E há outro fato em relação ao termo "riqueza" para o qual quero chamar atenção. A "riqueza americana" da qual você fala consiste de uma combinação de conhecimento aplicado com inteligência e os recursos materiais da nação. Os recursos materiais estavam aqui quando os índios eram os donos do país, mas não serviram de nada até que homens com educação prática assumiram o comando e deram a eles valores que poderiam ser convertidos em lucro misturando conhecimento com esses recursos.

Essa é minha ideia de ajudar os pobres e os fracos!

E tem mais uma coisa que quero mencionar em relação a esse tipo de ajuda: ela é uma forma de riqueza que não pode ser perdida, roubada ou dilapidada pelo uso insensato. A riqueza representada por conhecimento e experiência é perpétua. Nenhuma falência bancária pode diminuí-la. Nenhum pânico pode destruí-la. Nenhum perdulário pode herdá-la e se destruir usando-a de maneira insensata, como o dinheiro herdado é frequentemente um meio de autodestruição.

Dar dinheiro sempre causa mais mal que bem. Dar conhecimento nunca prejudica, mas pode proteger contra muitas formas de prejuízo. Se duvida disso, estude com cuidado o que acontece com muitas pessoas que nasceram com um legado de dinheiro que nada fizeram para merecer.

Ainda há outro ponto sobre ganhar dinheiro que eu gostaria de enfatizar. É o fato de que isso possa se tornar um jogo fascinante pelo qual o indivíduo desenvolve o orgulho da realização. Ele também desenvolve a capacidade criativa e contribui para a riqueza nacional na forma de liderança competente que pode ser muito útil em tempos de emergências nacionais.

HILL: Então você acredita no espírito do pioneirismo pelo qual um homem aposta em sua própria iniciativa?

CARNEGIE: Tenho um bom motivo para acreditar nisso. Se não houvesse esse espírito nos Estados Unidos, não teríamos nenhum dos grandes empreendimentos industriais pelos quais nossos recursos naturais foram desenvolvidos.

Foi o espírito do pioneirismo que inspirou James J. Hill a unir Leste e Oeste pela Great Northern Railroad.

Foi o espírito do pioneirismo que induziu Thomas A. Edison ao longo de dez mil fracassos, até o triunfo, finalmente, e o aperfeiçoamento da lâmpada elétrica incandescente e uma centena de outras invenções úteis que acrescentaram centenas de milhões de dólares à riqueza do país, sem falar em milhares de empregos.

Foi o espírito do pioneirismo que deu aos Estados Unidos a grande loja Wanamaker e a loja Marshall Field.

Foi o espírito do pioneirismo que deu ao país sua liberdade. Todos esses líderes foram estimulados por esse espírito, que não pede subsídios e não reconhece a troca de alguma coisa por nada.

Todo grande negócio e toda a indústria na América deve seu nascimento ao espírito pioneiro de algum homem ou grupo de homens que não pediu nada além do privilégio de exercitar seus direitos americanos de liberdade, pelo qual agiu por iniciativa própria. Esses homens não fizeram exigências em nome do fraco e do pobre, embora muitos fossem bastante pobres quando começaram.

Sei muito sobre o fraco e o pobre. Era pobre quando cheguei a este país, mas não era fraco. Minha força era formada pela vontade de vencer prestando serviço útil em troca das riquezas materiais que desejava.

Sou grato por ninguém ter me mimado por eu ser um "pobre garoto imigrante". Se alguém tivesse feito isso, eu poderia ter sido induzido a acreditar, como outros foram, que este país me devia o sustento.

Por não ser fraco, reconheci que este país não me devia nada, exceto aquilo que é privilégio de todo cidadão, e que é o direito de prestar serviço útil e receber um retorno equivalente na forma de riquezas.

HILL: Se segui sua análise corretamente, você acredita que qualquer presente de valor posto nas mãos de quem não fez por merecê-lo pode causar a essa pessoa um prejuízo, destruindo seu incentivo para prestar serviço. É nisso que acredita?

CARNEGIE: Sim, essa é minha crença, e eu a adquiri ao longo de uma vida de experiência prática no trato com muitos milhares de homens. O maior bem de um homem é seu desejo de criar por iniciativa própria. Não há euforia como essa que um homem sente quando começa a adquirir liberdade econômica pelos próprios esforços. Riquezas adquiridas dessa maneira não só dão ao dono mais prazer que as que chegam sem esforço, como também são mais facilmente retidas, porque o homem que aprende a ganhar riqueza também aprende como usá-la e como mantê-la.

Pais ricos costumam condenar os filhos à penúria e ao fracasso eternos tirando deles a necessidade de prestar serviço útil. Temos um caso desse tipo bem aqui em Pittsburgh, no presente. Um jovem chamado Harry Thaw herdou uma renda de US$ 85 mil por ano, logo depois de sair da faculdade. Em vez de ir trabalhar e se tornar útil, ele foi para Nova York e começou a espalhar pela Broadway suas riquezas imerecidas. Em pouco tempo, sua devassidão o levou a assassinar um famoso arquiteto, e agora ele está preso cumprindo pena perpétua depois de ter escapado por pouco de destino pior.

Lamento dizer que não culpo o rapaz por seu triste destino. O verdadeiro culpado foi quem o condenou a uma vida de ócio e dissipação, privando-o do privilégio de trabalhar, dando a ele um dinheiro que não fez por merecer.

HILL: Quer dizer que o princípio de fazer o esforço extra não deve ser aplicado entre pais e filhos?

CARNEGIE: Oh, não! Não é isso. Os pais devem aos filhos um legado, mas deve ser um legado de educação e preparação para a vida, não de dinheiro. Dinheiro nunca é maldição pior do que quando é generosamente doado aos filhos pelos pais para outros fins que não sejam os de prepará-los para se tornarem autodeterminantes.

HILL: A partir de sua experiência, pode dizer que grande riqueza traz felicidade?

CARNEGIE: Nada traz felicidade duradoura, senão alguma forma de serviço útil. Entenda essa verdade e terá a mais sólida de todas as razões para prestar mais e melhor serviço do que aquele pelo qual é pago diretamente. O homem que faz o esforço extra traz a si mesmo um sentimento de satisfação que não pode conhecer de nenhuma outra maneira. Essa é uma forma de compensação que, sozinha, é justificativa suficiente para fazer mais do que se é pago para fazer. É uma compensação que não pode ser negada; uma forma de riqueza da qual o indivíduo não pode ser privado.

HILL: Por que tão poucas pessoas fazem uso do princípio de fazer o esforço extra?

CARNEGIE: Porque a bem poucos se ensinaram os benefícios que o hábito acarreta. O lugar para começar a ensinar esse princípio é em casa. Deve ser ensinado a cada filho que é lucrativo prestar serviço útil pelo qual não recebe pagamento imediato além da satisfação que deriva do serviço. Mas o ensinamento deve ir além desse ponto e mostrar claramente ao filho que esse hábito pode se tornar um grande bem ao longo da vida. Treinamento similar deve fazer parte do currículo de toda escola pública, de forma que, quando meninas e meninos chegarem ao ensino médio, observem e apliquem esse princípio com a mesma definição com que desempenham qualquer outra obrigação relacionada aos estudos.

Aqui, como na maioria de outros casos em que a educação dos filhos é negligenciada, os adultos são culpados por sua falta de conhecimento. Filhos são as vítimas de pessoas mais velhas que são responsáveis por sua orientação. Negligência em questões tão importantes como a de deixar de ensinar a eles os benefícios de fazer o esforço extra chega bem perto de ser um ato criminoso.

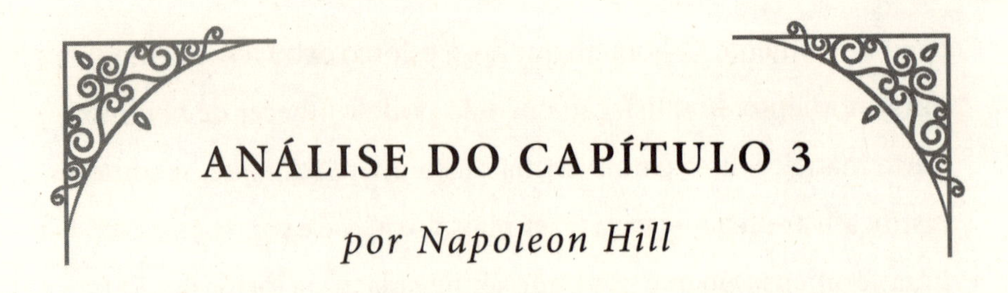

ANÁLISE DO CAPÍTULO 3

por Napoleon Hill

A natureza arranjou o universo de tal forma que não é possível obter alguma coisa em troca de nada. Tudo tem seu preço, ou seu equivalente em alguma outra coisa. Algumas vezes homens desperdiçaram seu tempo tentando inventar máquinas de movimento perpétuo que esperam usar para contornar as leis do movimento. Todos acabaram severamente desapontados.

Outros homens tentaram, com a mesma insensatez, receber pagamento referente a um dia inteiro por um dia de trabalho ruim. Pela força dos números, eles podem se aliar em grupos e conseguir o que querem, por um tempo; mas antes do que seria conveniente para eles, pagam por sua tolice com a perda do mercado para seus serviços. A natureza não pode ser desafiada com sucesso, embora alguns homens nunca aprendam essa verdade.

Neste capítulo, Carnegie apresentou uma descrição compreensível de vários princípios de conduta humana, como se aplicam nos relacionamentos diários comuns entre os homens. Sua descrição foi franca e definida. Vindo, como veio, de um dos líderes reconhecidos da indústria americana, sua análise é inevitavelmente impressionante.

O teste mais importante desses princípios será aquele que um indivíduo faz aplicando-os em seus relacionamentos pessoais com outras pessoas. O teste será mais benéfico se for feito deliberadamente com um objetivo definido em mente.

Felizmente, o autor teve o raro privilégio de observar aqueles que ascenderam a grandes alturas da realização e também aqueles que caíram em derrota. Há uns vinte anos, o editor da *The Golden Rule Magazine* foi convidado a dar uma palestra na Palmer School in Davenport, Iowa. Ele aceitou o convite por sua taxa habitual, que era de US$ 100 mais as despesas de viagem.

Enquanto estava na faculdade, o editor reuniu material suficiente para várias matérias em sua revista. Depois da palestra, quando estava pronto para voltar a Chicago, ele foi convidado pelo Dr. B. J. Palmer para apresentar a conta de suas despesas e receber o pagamento. Ele recusou o dinheiro pela palestra e pelas despesas, e justificou dizendo que já havia sido pago adequadamente pelo material reunido para sua revista. Então, pegou o trem e voltou para Chicago, sentindo-se recompensado pela viagem.

Na semana seguinte, ele começou a receber muitas assinaturas da revista em Davenport. No fim da semana, tinha recebido US$ 6 mil em dinheiro pelas assinaturas. Depois chegou uma carta do Dr. Palmer explicando que as assinaturas eram dos alunos, que haviam sido informados sobre a recusa do editor em aceitar o dinheiro que havia sido prometido e que ele tinha feito por merecer.

Durante os dois anos seguintes, os alunos e graduados da Palmer School compraram mais de US$ 50 mil em assinaturas da *The Golden Rule Magazine*. A história era tão impressionante que foi publicada por uma revista que circulava em todo o mundo de língua inglesa, e depois chegaram assinaturas de muitos países diferentes.

Assim, prestando US$ 100 em serviços sem receber pagamento, o editor pôs em prática a lei dos retornos aumentados para funcionar a seu favor, e isso rendeu a ele um retorno de mais de 500% de seu investimento. Fazer o esforço extra não é um sonho impossível. É uma forma de obter recompensa, e boas recompensas!

E mais, ele nunca vence! Como outros tipos de investimento, o hábito de fazer o esforço extra muitas vezes rende dividendos durante toda a vida do indivíduo.

Vamos dar uma olhada no que pode acontecer quando alguém deixa de aproveitar uma oportunidade de fazer o esforço extra. No fim de uma tarde chuvosa, um vendedor de automóveis estava sentado atrás de sua mesa, no *showroom* da filial em Nova York. A porta se abriu, e entrou na loja um homem elegante balançando uma bengala.

O vendedor levantou o olhar do jornal vespertino, analisou rapidamente o recém-chegado e o identificou imediatamente como mais um daqueles frequentadores da Broadway que só faziam os vendedores perderem um tempo valioso. Ele continuou lendo o jornal sem sequer se dar ao trabalho de levantar da cadeira.

O homem com a bengala andou pelo *showroom* carro por carro. Finalmente, ele se dirigiu até onde o vendedor estava sentado, apoiou-se na bengala e, tranquilo, perguntou o preço de três automóveis diferentes que tinha visto. Sem levantar o olhar do jornal, o vendedor deu os preços e continuou a leitura.

O homem com a bengala voltou para perto dos três automóveis que tinha visto, chutou os pneus de cada um e aproximou-se novamente da mesa do vendedor. “Bem, não sei se devo comprar aquele ali, o outro, ou se simplesmente compro os três”, ele disse.

O vendedor respondeu com um sorriso irônico, como se dissesse: "Eu sabia!".

Então, o homem da bengala falou: "Ah, acho que vou comprar só um. Mande aquele com as rodas amarelas para minha casa amanhã. E, aliás, quanto disse que era, mesmo?".

Ele tirou o talão do bolso, fez um cheque, que entregou ao vendedor, e saiu. Quando o vendedor viu o nome no cheque, ficou vermelho e quase desmaiou. O homem que tinha assinado o cheque era Charles Payne Whitney, e o vendedor soube naquele momento, com a mesma certeza com que sabia seu nome, que, se houvesse levantado da cadeira, poderia ter vendido os três automóveis sem nenhum grande esforço.

Quando o gerente soube do incidente, o vendedor foi demitido na hora! A punição foi branda. Provavelmente, ele deveria ter sido obrigado a pagar pela perda dos lucros dos dois carros que não vendeu. Deixar de prestar o melhor serviço de que se é capaz custa caro, coisa que muitos devem ter aprendido quando já era tarde demais. O direito à iniciativa pessoal não vale muito para o indivíduo que é muito indiferente ou preguiçoso para fazer uso dela. Muitas pessoas fazem parte dessa categoria sem reconhecer o motivo pelo qual nunca acumulam riquezas.

Há mais de quarenta anos, um jovem vendedor de uma loja de ferramentas observou que a loja tinha muitos produtos ultrapassados e que não eram vendidos. Com tempo ao seu dispor, ele organizou uma mesa especial no meio da loja. Arrumou nela parte da mercadoria encalhada, dando a cada produto o preço de dez centavos.

Para surpresa desse vendedor e do dono da loja, os produtos foram vendidos rapidamente.

Dessa experiência nasceu a grande cadeia de lojas F. W. Woolworth Five and Ten Cent. O jovem que teve a ideia ao fazer o esforço extra era Frank W. Woolworth.

Antes de morrer, ele havia reunido com essa ideia uma fortuna estimada em US$ 50 milhões de dólares. Além disso, a mesma ideia enriqueceu várias outras pessoas, e aplicações dela foram a essência de muitos sistemas mercantis lucrativos nos Estados Unidos.

Ninguém disse ao jovem Woolworth para exercer seu direito à iniciativa pessoal. Ninguém pagou a ele por isso, mas sua atitude levou a um retorno cada vez maior por seu esforço. Assim que pôs a ideia em prática, os retornos aumentados quase o atropelaram.

Tem alguma coisa nesse hábito de fazer mais do que aquilo pelo que se é pago que funciona a favor do indivíduo até quando ele dorme. Quando começa a funcionar, ele acumula riquezas tão depressa que é como um tipo estranho de magia que, como a lâmpada de Aladdin, invoca um exército de gênios que chegam carregando sacos de ouro.

O hábito de fazer o esforço extra não confina suas recompensas a assalariados. Funciona tão bem para o empregador quanto para o empregado, como testemunhou agradecido um comerciante que conheci.

Seu nome era Arthur Nash, e ele era alfaiate. Há uns vinte e poucos anos, Nash viu seu negócio à beira da falência. A Primeira Guerra Mundial e outras condições sobre as quais ele parecia não ter controle o tinham levado às portas da ruína financeira. Um de seus problemas mais sérios era que os empregados absorveram seu espírito de derrotismo e o expressaram no trabalho, reduzindo o ritmo e se tornando desapontados. A situação era desesperadora. Alguma coisa tinha que ser feita, e tinha que ser depressa, se ele quisesse continuar nos negócios.

Por puro desespero, ele reuniu os empregados e contou a eles sobre a condição em que estava. Enquanto falava, ele teve uma ideia. Disse que havia lido uma história na *The Golden Rule Magazine* sobre como seu editor havia feito o esforço extra prestando serviço pelo qual se recusara a aceitar pagamento, e posteriormente foi recompensado por mais de US$ 6 mil em assinaturas de sua revista. Ele acabou sugerindo que todos ali absorvessem o espírito e começassem a fazer o esforço extra, e talvez pudessem salvar o negócio. Esse homem prometeu aos empregados que, se todos se juntassem a ele no experimento, faria de tudo para manter a empresa, com o entendimento de que todos esquecessem salários, horários, se unissem e fizessem o melhor, e assumissem os riscos de receber pagamento por seu trabalho. Se conseguissem fazer a empresa render, todos os empregados teriam de volta seus salários com um bônus.

Os empregados gostaram da ideia e decidiram tentar. No dia seguinte, começaram a chegar com suas parcas economias, que emprestaram voluntariamente a Nash. Todos iam trabalhar com uma nova disposição, e o negócio começou a dar sinais de vida. Rapidamente, voltou a render. E depois começou a prosperar como nunca havia prosperado antes. Dez anos depois, o negócio lhe havia dado uma riqueza maior do que ele necessitava. Os empregados eram mais prósperos do que jamais tinham sido, e todos estavam felizes.

Arthur Nash morreu, mas sua empresa ainda é o mais próspero comércio de alfaiataria da América. Os empregados assumiram o comando quando Nash faleceu. Pergunte a qualquer um deles o que acha do hábito de fazer o esforço extra e você vai ter a resposta rapidamente! Mais que isso, fale com um dos vendedores de Nash, onde o encontrar, e observe o espírito de entusiasmo e autossuficiência. Quando esse estimulante do esforço extra entra na mente de um homem, ele se torna um tipo diferente de pessoa. O mundo parece diferente para ele, e ele parece diferente – porque é diferente!

Este é o momento certo para lembrar algo importante sobre o hábito de fazer o esforço extra fazendo mais do que aquilo que é pago para fazer. É a estranha influência que tem sobre o homem que o pratica. O maior benefício desse hábito não é para aqueles que recebem o serviço prestado. É para os que prestam o serviço na forma de uma "atitude mental" modificada que dá a eles mais influência sobre outras pessoas, mais autossuficiência, maior iniciativa, entusiasmo, visão e definição de objetivo; todas essas são qualidades do empreendedor bem-sucedido.

"Faça a coisa e terá o poder", disse Emerson. Ah, sim, o poder! O que um homem pode fazer em nosso mundo sem poder? Mas tem que ser o tipo de poder que atrai outras pessoas, em vez de as repelir. Tem que ser uma forma de poder que ganha impulso a partir da lei natural, por cujo funcionamento os atos e feitos do indivíduo retornam a ele muitas vezes multiplicados.

Para se beneficiar do hábito de fazer mais do que aquilo pelo que se é pago, é preciso entender o significado da citação bíblica: "Porque tudo que o homem semear, isso também ceifará". O tipo de semente que o homem planta é importante! É importante porque toda semente de serviço que se planta faz nascer uma colheita de sua própria espécie.

Você que trabalha por salário precisa aprender mais sobre essa história de plantar e colher. Então, vai entender por que nenhum homem pode seguir para sempre semeando o serviço inadequado e colhendo pagamento. Você vai saber que tem que interromper o hábito de exigir um dia inteiro de pagamento por um dia de serviço ruim.

Pela força, os homens podem, durante algum tempo, tirar mais suco de uma fruta do que a natureza pôs nela, mas a natureza tem recursos demais para tolerar essa violação de seus planos por muito tempo. Mais cedo ou mais tarde, ela reage com uma terrível vingança contra aqueles que, por ignorância ou determinação, contrariam seus planos.

E você que não trabalha por salário, mas quer ter mais das coisas boas da vida. Quero falar com você também. Por que não age com inteligência e começa a ter o que quer de um jeito fácil e certo? Sim, tem um jeito fácil e certo de se promover e obter o que quiser da vida, e esse segredo se torna conhecido por todos que decidem fazer o esforço extra. O segredo não pode ser descoberto de outra maneira, porque está atrelado àquele esforço extra.

O pote de ouro no fim do arco-íris não é conto de fadas! O fim desse esforço extra é onde o arco-íris acaba, e é lá que o pote de ouro está escondido.

Poucas pessoas chegam ao fim do arco-íris. Quando alguém chega ao lugar onde achava que o arco-íris terminava, descobre que ainda está longe. O problema é que não sabemos como seguir o arco-íris. Os que conhecem o segredo sabem que o arco-íris só pode ser alcançado realmente pelo hábito de fazer o esforço extra.

Em um fim de tarde, há uns 25 anos, William C. Durant, fundador da General Motors, entrou em seu banco depois do horário de expediente e pediu um favor que, normalmente, deveria ser pedido dentro do horário normal de funcionamento do banco.

O homem que concedeu o favor era Carroll Downes, funcionário do banco. Ele não só atendeu Durant com eficiência, como também fez o esforço extra de acrescentar cortesia ao serviço. Fez Durant sentir que era um verdadeiro prazer servi-lo. O incidente pareceu trivial, pouco importante. O que Downes não sabia era que aquela cortesia teria consequências de natureza abrangente.

No dia seguinte, Durant pediu a Downes para ir encontrá-lo em seu escritório. Nessa visita, ele ofereceu um emprego que Downes aceitou. Downes ocupava uma mesa no escritório onde mais cem pessoas trabalhavam, e foi informado de que o horário de trabalho era das 8h30 às 17h30. Seu salário inicial seria modesto.

No fim do primeiro dia, quando o gongo anunciou o encerramento do expediente, Downes notou que todos pegavam chapéu e casaco e corriam para a porta. Ele ficou onde estava, esperando os outros saírem. Depois que todos saíram, ele continuou em sua mesa, tentando entender por que todos tinham tanta pressa para deixar a empresa pontualmente na hora de sair. Quinze minutos mais tarde, Durant abriu a porta de sua sala, viu Downes sentado à mesa e perguntou se ele não havia entendido que tinha o direito de encerrar o expediente às 17h30.

"Ah, sim", Downes respondeu, "mas não quis ser atropelado na correria." Depois perguntou se poderia ajudar Durant de algum jeito. Ele foi informado que poderia encontrar um lápis para o magnata dos motores. Ele pegou o lápis, o apontou e entregou. Durant agradeceu e se despediu.

No dia seguinte, na hora da saída, Downes permaneceu em sua mesa outra vez até a "correria" acabar. Dessa vez, foi uma atitude premeditada. Em pouco tempo, Durant saiu de sua sala e perguntou, novamente, se Downes não tinha entendido que 17h30 era hora de ir embora.

"Sim", respondeu Downes, "entendi que é a hora em que os outros vão embora, mas ninguém disse que sou obrigado a sair quando o expediente acaba, então eu fico para ver se ainda posso ajudar em alguma coisa."

"Que expectativa incomum!", Durant exclamou. "De onde tirou essa ideia?"

"Do que vejo aqui todos os dias na hora da saída", Downes respondeu. Durant resmungou alguma coisa que Downes não ouviu bem, depois voltou à sua sala.

Desse dia em diante, Downes permaneceu em sua mesa depois da hora da saída até ver Durant colocar o chapéu e o casaco e ir embora. Ele não era pago para ficar no escritório depois do expediente. Ninguém disse para fazer isso. Ninguém prometeu nada se ficasse, e o observador casual até podia imaginar que ele estava perdendo tempo.

Vários meses mais tarde, Downes foi chamado ao escritório de Durant, que informou que ele havia sido escolhido para trabalhar em uma nova fábrica que fora comprada recentemente, para supervisionar a instalação do maquinário. Imagine! Um ex-funcionário de banco que se tornava especialista em maquinário em poucos meses.

Sem hesitar, Downes aceitou a tarefa e saiu. Não falou nada do tipo "Mas não sei nada sobre instalação de maquinário". Ele não disse "Isso não é função minha", ou "não sou pago para instalar máquinas". Não, ele foi trabalhar e fez o que foi pedido. Mais que isso, ia trabalhar com uma "atitude mental" agradável.

Três meses depois, o trabalho foi concluído. Foi tão bem feito que Durant chamou Downes a sua sala e perguntou onde ele havia aprendido tanto sobre máquinas. "Ah", Downes explicou, "não aprendi, só olhei por aí, encontrei homens que sabiam fazer o trabalho, os pus para trabalhar, e eles fizeram tudo."

"Esplêndido!", Durant gritou. "Há dois tipos de homens que são valiosos. Um é o que sabe fazer alguma coisa e faz bem, sem reclamar por trabalhar demais. O outro é o sujeito que sabe fazer outras pessoas fazerem as coisas, sem reclamar. Você é os dois em um só."

Downes agradeceu pelo elogio e virou para sair.

"Um momento", Durant pediu. "Esqueci de dizer que você é o novo gerente da fábrica que instalou, e seu salário, para começar, é de US$ 50 mil por ano!"

Os dez anos seguintes de trabalho com Durant valeram alguma coisa entre dez e doze milhões de dólares para Carroll Downes. Ele se tornou conselheiro do rei do motor e enriqueceu com o próprio esforço.

O problema principal da maioria das pessoas é ver homens que chegaram ao topo e avaliá-los na hora do triunfo, sem se esforçar para saber como chegaram lá.

Não tem nada de muito dramático na história de Carroll Downes. Os incidentes mencionados ocorreram durante o expediente, sem serem notados pelas pessoas que trabalhavam com Downes. E não duvido que muitos daqueles colegas de trabalho o invejassem por acreditarem que ele era favorecido por Durant, por algum tipo de indicação ou sorte, ou qualquer que seja a desculpa que os homens que não alcançam o sucesso usam para justificar seu fracasso.

Bem, para ser bem honesto, Downes tinham uma "vantagem" com Durant!

Ele criou essa "vantagem" com a própria iniciativa. E a criou fazendo o esforço extra de um jeito muito trivial, apontando um lápis quando a solicitação tinha sido só encontrar um lápis. Ele a criou permanecendo em sua mesa "esperando para ver" se poderia ajudar Durant de algum modo depois que a "correria" das 17h30 acabava todo fim de tarde. Ele a criou usando seu direito à iniciativa pessoal e encontrando homens que entendiam como instalar maquinário, em vez de perguntar a Durant como e onde encontrar esses homens.

Reveja esse incidente passo a passo e vai descobrir que o sucesso de Downes foi resultado apenas de sua própria iniciativa. Mais ainda, ele consiste em uma série de pequenas tarefas bem feitas, na "atitude mental" certa.

Talvez houvesse uma centena de outros funcionários de Durant que poderiam ter conseguido um resultado tão bom quanto o promovido por Downes, mas o problema era que estavam procurando o fim do arco-íris correndo do escritório às 17h30 todas as tardes.

Muitos anos depois desse incidente, este autor perguntou a Carroll Downes como ele teve sua oportunidade com Durant. "Oh", ele respondeu com modéstia, "só me esforcei para ficar na frente dele, para ele me enxergar. Quando ele olhou em volta procurando alguma ajuda, me chamou porque eu era o único à vista. Com o tempo, ele adquiriu o hábito de me chamar."

Aí está! Durant "adquiriu o hábito" de chamar Downes. Mais que isso, ele descobriu que Downes podia assumir responsabilidades e as assumia fazendo o esforço extra. É uma pena que nem todos os americanos tenham esse espírito de assumir maiores responsabilidades. É uma pena que muitos não comecem a falar mais dos nossos "privilégios" de servir dentro do estilo de vida americano, e menos da falta de oportunidades nos Estados Unidos.

Existe um homem que viva na América hoje e afirme que Carroll Downes teria se saído melhor se fosse forçado, por lei ou por uma regra de grupo, a se juntar à correria e sair do escritório às 17h30? Nesse caso, ele teria recebido o salário padrão para o tipo de serviço que fazia, mas nada além disso. Por que deveria receber mais?

Ele segurava o destino em suas mãos. Estava embrulhado neste único privilégio que deveria ser de cada cidadão americano: o direito à iniciativa pessoal, por cujo exercício ele tornou um hábito sempre fazer o esforço extra. Isso conta toda a história. Não tem nenhum outro segredo no sucesso de Downes. Ele admite isso, e todos que conhecem as circunstâncias de sua promoção da pobreza à riqueza sabem disso.

Tem uma coisa que ninguém sabe, aparentemente: como há tão poucos homens que, como Carroll Downes, descobrem o poder resultante da decisão de fazer mais do que se é pago para fazer? Nisso está a semente de toda realização. Esse é o segredo de todo sucesso digno de nota e, no entanto, é tão pouco compreendido que a maioria das pessoas o vê como um truque pelo qual os empregadores tentam fazer os empregados trabalharem mais.

Esse espírito de indiferença em relação ao hábito de fazer o esforço extra foi expresso de forma dramática por um "espertinho" que certa vez se candidatou a um emprego na empresa de Henry Ford. Ford perguntou ao homem sobre sua experiência, seus hábitos e outras questões rotineiras, e ficou satisfeito. Depois ele perguntou: "Quanto você quer ganhar por seus serviços?". O homem foi evasivo, e Ford finalmente disse: "Bem, vamos supor que você comece, mostre o que sabe fazer, e nós pagamos seu valor depois dessa experiência". Ele recusou e explicou: "Já estou ganhando mais que isso onde trabalho agora". E não duvido que tenha dito a verdade.

Isso explica exatamente por que tanta gente não progride na vida. Essas pessoas já ganham mais do que valem onde estão, e não parecem entender como progredir se tornando mais valiosas!

Logo depois do fim da Guerra Hispano-Americana, Elbert Hubbard escreveu uma história que chamou de "Mensagem a Garcia". Ele contou brevemente como o presidente William McKinley contratou um jovem solado chamado Rowan para levar uma mensagem do governo dos Estados Unidos para Garcia, chefe dos rebeldes cubanos, cujo paradeiro exato era desconhecido. Esse jovem soldado pegou a mensagem, atravessou a vastidão da selva cubana e finalmente encontrou Garcia, a quem entregou a nota. E essa é toda a história, só um soldado cumprindo ordens em circunstâncias difíceis e concluindo a tarefa sem voltar com uma desculpa.

A história incendiou imaginações pelo mundo todo. O simples fato de um homem fazer o que alguém mandava e fazer bem se tornou uma grande notícia. "Mensagem a Garcia" foi publicado em forma de livreto, e as vendas chegaram a mais de dez milhões de cópias. Essa única história fez Elbert Hubbard famoso, além de rico.

A história foi traduzida para sete idiomas. O governo japonês a imprimiu e distribuiu para todos os soldados do país. A Pennsylvania Railroad Company deu uma cópia a cada um de seus milhares de funcionários. As grandes corretoras de seguro de vida dos Estados Unidos oferecem o livreto de presente a seus vendedores. Muito tempo depois de Elbert Hubbard naufragar no malfadado Lusitania, em 1915, "Mensagem a Garcia" seguiu sendo um *best-seller* em todo o país.

A história se tornou tão popular porque havia nela um pouco do poder mágico que pertence ao homem que faz alguma coisa e faz bem.

O mundo todo clama por esses homens. Eles são necessários e desejados em todas as áreas da vida. A indústria americana sempre recompensa regiamente os homens que assumem responsabilidades e fazem o que tem que ser feito com a "atitude mental" correta por meio de fazer o esforço extra.

Andrew Carnegie promoveu não menos que quarenta homens de cargos baixos de trabalhadores assalariados à posição de milionários.

Ele entendia o valor de homens que se dispunham a fazer o esforço extra.

Sempre que encontrava um desses homens, ele levava "sua descoberta" para o círculo mais íntimo de seus negócios e dava a ele uma oportunidade de ganhar "tudo que valia".

Charles M. Schwab foi um desses que ganharam os favores do mestre do aço pelo simples expediente de fazer o esforço extra. Ele começou a trabalhar com Carnegie na humilde função de colocador de estaca ganhando por dia. Passo a passo, ele progrediu até se tornar o braço direito de Carnegie. Em alguns anos, sua renda ultrapassava um milhão de dólares na forma de bônus.

O bônus era sua compensação por fazer o esforço extra! O pagamento fixo era pelo trabalho que ele realmente fazia. Não vamos esquecer que o "dinheiro grande" é sempre resultado direto ou indireto do esforço extra!

Os Estados Unidos hoje passam por uma grande crise nacional que ameaça seriamente a liberdade pessoal que tornou possível que pessoas de todas as áreas façam o esforço extra exercitando sua iniciativa pessoal.

A principal causa dessa crise tem sido o propósito difundido de muita gente para obter alguma coisa em troca de nada, em oposição direta ao princípio de fazer o esforço extra.

A ganância humana tomou o lugar do desejo de projetar a bondade humana pela prestação de serviço útil. O princípio é exatamente oposto à demanda por mais pagamento e menos trabalho. Milhares se prejudicaram dependendo da ajuda pública no lugar da iniciativa privada. O prognóstico para o futuro dos Estados

Unidos é desanimador, de fato. Apesar disso, acredito que ainda haja pessoas suficientes neste país abençoadas pelo bom senso de se colocar e falar até o povo americano ter consciência do abismo de autodestruição sobre o qual está agora.

Pessoas fazem ou deixam de fazer coisas por um motivo. O melhor motivo para o hábito de fazer o esforço extra é que ele rende dividendos duradouros, de maneiras numerosas demais para serem mencionadas, a todos que seguem o hábito.

Americanos querem maiores porções individuais dos vastos recursos deste país. Esse é um desejo saudável. A riqueza existe aqui em abundância, mas vamos parar com essa tentativa tola de obtê-la pelo caminho errado. Vamos conquistar nossa riqueza dando algo de valor por ela. Foi assim que Andrew Carnegie, Thomas A. Edison, Henry Ford e muitos outros como eles enriqueceram.

Sabemos quais são as regras pelas quais o sucesso é alcançado. Vamos nos apropriar dessas regras e usá-las com inteligência, adquirindo assim as riquezas pessoais que queremos e contribuindo também para a riqueza da nação.

Alguns vão dizer "Já estou fazendo mais do que aquilo pelo que sou pago, mas meu empregador é egoísta e ganancioso demais para reconhecer o tipo de serviço que presto". Todos sabemos que existem homens gananciosos que querem algo em troca de nada; pelo menos querem mais do que ganham. Empregadores egoístas são como porções de argila nas mãos de um ceramista. Por meio de sua ganância eles podem ser induzidos a recompensar o homem que presta a eles mais serviço do que aquele pelo qual é pago. Empregadores gananciosos não querem perder os serviços de alguém que tem o hábito de fazer o esforço extra. Eles conhecem o valor desses empregados. Aqui, então, estão o pé de cabra e a chave com os quais os empregadores podem ser abertos e esvaziados de sua ganância. Qualquer homem esperto sabe como usar esse pé de cabra, não pela recusa da qualidade ou quantidade do serviço que presta, mas por seu aumento.

Vi essa técnica aplicada pelo menos cem vezes, como um meio de manipular empregadores gananciosos pelo reconhecimento e uso da própria fraqueza. Em algumas ocasiões, o empregador não agiu com a rapidez esperada, mas essa foi sua infelicidade, porque seu empregado chamou a atenção de um empregador competitivo que fez uma oferta por seus serviços e o contratou.

Não tem como enganar o homem que segue o hábito de fazer o esforço extra. Se ele não recebe o reconhecimento adequado de uma fonte, isso chega voluntariamente de alguma outra fonte, geralmente quando ele menos espera. O reconhecimento sempre vem se o indivíduo faz mais do que aquilo pelo que é pago.

O homem que faz o esforço extra e o faz com a correta "atitude mental" nunca passa muito tempo procurando emprego. Não precisa, porque o trabalho está sempre procurando por ele. Depressões vêm e vão; os negócios podem estar bons ou ruins, o país pode estar em guerra ou em paz; mas o homem que presta mais e melhor serviço do que aquele pelo qual é pago se torna indispensável a alguém e, portanto, se protege contra o desemprego. A falácia em boa parte do nosso programa de seguro social está no fato de que ela frequentemente ignora o princípio do esforço extra. Ele se baseia na proteção egoísta pela lei.

Salários altos e indispensabilidade são irmãos gêmeos. Sempre foram, são e sempre serão!

O homem que é astuto o bastante para se tornar indispensável para alguém é astuto o bastante para se manter continuamente empregado, e com salários muito mais altos que aqueles impostos por demandas grupais.

Henry Ford entende o valor da indispensabilidade. Ele também conhece o valor de fazer o esforço extra.

É por isso que há alguns anos ele aumentou voluntariamente os salários de seus empregados para uma diária correspondente ao maior teto, cinco dólares por dia. Com essa atitude ele fez por seus empregados algo que nenhum sindicato poderia tê-lo obrigado a fazer, e foi uma atitude inteligente, porque garantiu a ele a simpatia e a cooperação de seus empregados por mais de um quarto de século.

Andrew Carnegie entendia o valor de fazer o esforço extra. Aplicando a regra ao trabalho, ele acumulou uma fortuna de mais de meio bilhão de dólares. Ele foi acusado por alguns de ser ganancioso, mas nunca foi acusado de ser fraco na administração dos homens. Se era ganancioso, ele usou sua deficiência pagando a alguns de seus homens (aqueles que tiveram o bom senso de se tornar indispensáveis a ele fazendo o esforço extra) até um milhão de dólares ao ano em bônus. Sua política era a de incentivar os empregados a se tornarem indispensáveis fazendo mais do que aquilo pelo que eram pagos (um privilégio que sempre esteve disponível ao mais humilde dos trabalhadores) e se proteger contra a possibilidade de se tornarem concorrentes nos negócios pagando a eles tudo que realmente valiam.

Por meio de seu reconhecimento do princípio de fazer o esforço extra, esses grandes homens acrescentaram muitos bilhões de dólares à riqueza da nação, forneceram emprego rentável a muitos milhões de homens (empregos que se mantiveram durante toda a depressão) e acumularam grandes fortunas para uso próprio.

Nunca houve um tempo, durante toda a história dos Estados Unidos, em que alguém poderia ter se beneficiado do hábito de fazer mais do que aquilo pelo qual é pago como pode hoje. O simples fato de tantas pessoas estarem tentando obter alguma coisa em troca de nada fornece uma oportunidade sem precedentes para aqueles que se recusam a ceder a essa fraqueza comum. Esses poucos podem lucrar com a lei do contraste, adotando e aplicando o hábito de fazer o esforço extra.

Leitores devem apreender o pleno significado do princípio de fazer o esforço extra e tirar proveito máximo disso nessa hora de emergência nacional, quando a lealdade do indivíduo a este país pode ser mais bem demonstrada pelo serviço útil. A presente emergência ameaça destruir a própria instituição que permite que os homens se promovam prestando serviço superior. Portanto, não é só um privilégio lucrativo fazer o esforço extra; é absolutamente essencial que o façamos. O princípio do esforço extra é típico e vital à democracia.

Nosso país ainda é uma "terra de oportunidades" para todo homem que se dispõe a prestar serviço útil em troca de coisas melhores na vida. Nosso país pode continuar sendo "o berço da liberdade humana" apenas enquanto merecermos esse privilégio, pela prestação do serviço útil em espírito de altruísmo.

Vai haver um tempo na história de toda nação quando seu povo deve deixar de lado todo o egoísmo e trabalhar pelo bem comum, ou perecer. Povos do mundo todo hoje são forçados a enfrentar o desafio da força bruta e da ganância humana por poder! Sempre que essas emergências surgiram neste país, as pessoas as enfrentaram com sucesso deixando de lado o egoísmo e fazendo o esforço extra voluntariamente.

Há um motivo definido pelo qual nosso país é conhecido como o "mais rico e mais livre" do mundo. A razão tem raízes na eficiência dos homens que foram pioneiros na organização de nosso desenvolvimento econômico e industrial.

Indústria, que é a maior pedra fundamental do americanismo, prosperou por causa do grande exército de homens de visão que tomaram a decisão de fazer mais do que aquilo pelo que eram pagos. Esses líderes acumularam riquezas em abundância; mas suas riquezas foram usadas de um jeito que deu emprego a uma grande maioria daqueles que trabalham por salário. Portanto, sua riqueza individual se tornou parte da riqueza emocional deste país.

Veja Henry Ford, por exemplo. Ele acumulou uma grande fortuna, mas quem negaria que este país estaria melhor hoje se tivesse mil desses homens? Cada um deles empregando milhões de homens, como fez Ford! Estima-se que, de maneira direta ou indireta, Henry Ford emprega não menos que seis milhões de homens. Sua influência no estilo de vida americano é maior do que podemos avaliar, mas sabemos que ele foi responsável, em grande parte, pela rede de rodovias melhoradas que tornam acessível cada parte do país ao transporte rápido, confiável. Os impostos coletados anualmente por governos estaduais e federal por causa da indústria de Ford estão além do que se pode estimar.

O sucesso de Ford não foi acidental. Ele é resultado de regras definidas de procedimento. Conhecemos a natureza dessas regras, sendo uma das mais proeminentes a de fazer o esforço extra.

O autor foi orientado por uma severa aderência às descobertas da ciência e às leis da natureza. Em nenhum lugar em todo o campo da ciência encontramos justificativas para as leis reguladoras que desestimulam os homens a usar a iniciativa pessoal da maneira mais plena possível, mas encontramos justificativa definida para o hábito de fazer o esforço extra. Essa justificativa é que em nenhum lugar, em nenhum tempo, encontramos uma indústria bem-sucedida, ou um indivíduo bem-sucedido, que não tenha praticado esse princípio. Por outro lado, examinamos milhares de exemplos de indivíduos que enfrentaram a derrota e faliram de muitas maneiras na vida pessoal e profissional por negligenciarem ou se recusarem a fazer o esforço extra.

É fato conhecido que homens da ciência e da educação chegam a conclusões e criam planos pelo método seguro de aprender a partir de experiências de homens de autoridade estabelecida em seus respectivos campos de atuação individual. O propósito das grandes bibliotecas do país é, principalmente, fornecer a todas as pessoas um registro do conhecimento que a civilização extraiu das experiências das pessoas. Homens que pensam, homens que são bem-sucedidos, tomam para si a tarefa de aprender, por meio de pesquisa sistemática nesses registros de experiências passadas, tudo que foi registrado em relação a seus interesses na vida. O homem que negligencia ou se recusa a descobrir o que outros em seu campo de atuação aprenderam, e que pode ser útil para ele, ignora um grande privilégio.

A Depressão nos ensinou que tem algo pior do que ser forçado a trabalhar. É ser forçado a não trabalhar.

Antes de esta filosofia ser completada neste capítulo, mais de vinte anos de trabalhosa pesquisa foram dedicados ao estudo dos registros dos homens que foram reconhecidos como os pensadores e filósofos mais capazes que o mundo conheceu. Uma equipe de pesquisa formada por especialistas inteligentes foi mantida ocupada, e varreu as bibliotecas em busca de registros autênticos das experiências de homens que foram reconhecidos como líderes em quase todos os campos da atividade humana. A substância de suas descobertas foi escrita nessa filosofia. Além dessa forma de pesquisa da história das experiências dos homens, mais de quinhentos dos homens mais bem-sucedidos conhecidos pelo povo americano colaboraram, durante muitos anos, fornecendo a essência do conhecimento que reuniram nos campos da indústria e do comércio pelo sistema de tentativa e erro. Mais ainda, foi feita uma cuidadosa análise pessoal de milhares de homens e mulheres em todas as áreas da vida, representando uma seção cruzada do povo americano e do estilo de vida americano, a partir da qual o autor descobriu as causas de fracasso e sucesso. Pelas descobertas dessa extensa pesquisa, esta filosofia foi organizada.

Então, quando a apresento aos leitores como um mapa claramente sinalizado que leva à realização individual, eles podem ter certeza de que esse mapa foi feito com base nas pegadas de homens que já percorreram o caminho antes deles.

A aplicação dos princípios de fazer o esforço extra, definição de objetivo e MasterMind é o jeito certo para encontrar o caminho para o poder pessoal.

SOBRE O AUTOR

Napoleon Hill nasceu em 1883, em Wise County, Virginia. Trabalhou como secretário, "repórter de montanha" de um jornal local, gerente de mina de carvão e depósito de madeira, e frequentou a escola de Direito antes de começar a trabalhar como jornalista na *Bob Taylor's Magazine*, trabalho pelo qual conheceu o magnata do aço, Andrew Carnegie, que mudou o rumo de sua vida. Carnegie acreditava que o sucesso podia ser destilado em princípios que qualquer pessoa poderia seguir, e incentivou Hill a entrevistar os maiores industriais e inventores da época a fim de descobrir esses princípios. Hill aceitou o desafio, que durou vinte anos e formou a base de *Think and Grow Rich*, o clássico de construção de riqueza e maior *best-seller* de todos os tempos em sua categoria, que vendeu mais de cem milhões de cópias no mundo todo. Hill dedicou o restante de sua vida a descobrir e refinar os princípios do sucesso. Depois de uma longa e rica carreira como autor, editor de revista, palestrante e consultor de líderes nos negócios, o pioneiro motivacional morreu em 1970, na Carolina do Sul.

Fascinante, provocativo e encorajador, *Mais Esperto que o Diabo* mostra como criar a sua própria senda para o sucesso, harmonia e realização em um momento de tantas incertezas e medos. Após ler este livro você saberá como se proteger das armadilhas do Diabo e será capaz de libertar sua mente de todas as alienações.

"Medo é a ferramenta de um diabo idealizado pelo homem."

Quem pensa enriquece - O legado é o clássico *best-seller* sobre o sucesso agora anotado e acrescido de exemplos modernos, comprovando que a filosofia da realização pessoal de Napoleon Hill permanece atual e ainda orienta aqueles que são bem-sucedidos. Um livro que vai mudar não só o que você pensa, mas também o modo como você pensa.

O manuscrito original – As leis do triunfo e do sucesso de Napoleon Hill ensina o que fazer para ser bem-sucedido na vida. Sucesso é mais do que acumular dinheiro e exige mais do que uma mera vontade de chegar lá. Napoleon Hill explica didaticamente como pensar e agir de modo positivo e eficiente e como conseguir a ajuda dos outros para a realização de objetivos.

The Napoleon Hill Foundation

What the mind can conceive and believe, the mind can achieve

O Grupo MasterMind – Treinamentos de Alta Performance é a única empresa autorizada pela Fundação Napoleon Hill a usar sua metodologia em cursos, palestras, seminários e treinamentos no Brasil e demais países de língua portuguesa.

Mais informações:

www.mastermind.com.br